# 在小吃店遇见凯恩斯

## 像小说一样好看的经济学

[韩] 柳泰宪 著

徐若英 译

中信出版社

CITIC PUBLISHING HOUSE

# 目　录

梁小民序：向凯恩斯学宏观经济学

作者序：等待所有的人都成为有钱人的那一天……

## 第一篇　遇见经济学，爱上了它！

钱，这个家伙力大无比。

所以，除非你早已准备好够大的碗来迎接"钱"这个不得了的家伙，

否则你很可能无力承受被雀屏中选的幸运！

### 在小吃店遇见有钱人的故事

## 第二篇　感受需求带给你的乐趣

即便这是你打从娘胎以来第一次接触经济学，学得头昏脑胀，

我们还是再多忍耐一会儿！

为自己往前铺上扎实的路径，一步一步向前走吧！

**在小吃店遇见有钱人的故事**

## 第三篇 嗅觉危机，挥别消费

我不知道该如何贴切形容信用卡？

或许，可以比喻为"麻药"吧！

医生可以用它治疗病人，但是，也可能致人于死。

**在小吃店遇见有钱人的故事**

## 第四篇 勇敢"品尝"投资美味！

凯恩斯认为，决定投资的重点是企业家的动物
本能。随时随地，全身感觉器官为嗅到钱
的味道而高度警戒，一旦捕捉到机会，
就有如狮子或老虎扑向猎物般狩猎"钱"。

在小吃店遇见有钱人的故事

## 第五篇　与"外销"别开生面的会晤

"外销"是赠予我们吃得好、住得好这种幸福的绝佳途径。

还不止如此，外销带给我们的还有更多。

其中最大的礼物，应该可以说是通过外销所赚进来的美金。

在小吃店遇见有钱人的故事

## 第六篇　发现金融市场的魔力

若投资需求减少了，那就由消费需求和外销替代上阵。

无法外销就找消费和投资来顶住。

在小吃店遇见有钱人的故事

## 第七篇　供需——另一道曙光

濒临灭亡边缘的国家，一旦吃了凯恩斯开的处方"需求"之后，

马上就能像没事的人一样活蹦乱跳。

因为，凯恩斯就是经济学的准则。

在小吃店遇见有钱人的故事

## 第八篇　幸福，也需要成本

一旦外国人在国内盖了工厂就会需要劳工，

在他们雇用劳工之后，国内的失业率就会下降，

接着国民收入就可能提高，国家也就增加了富裕的机会。

**在小吃店遇见有钱人的故事**

## 第九篇　劳动力，才是最强大的力量

如果没有挥汗工作的劳动力，
任何形态的物质性的富有都是不可能实现的。
因此，劳动力就是希望！

**在小吃店遇见有钱人的故事**

## 第十篇　提升技术，是另一个逃生口

所谓进步，指的是技术的进步，那么，究竟什么是技术？
努力将遗传学促成的知识加以创造，
再开发出新种稻穗，也就是技术进步。

**在小吃店遇见有钱人的故事**

# 第十一篇　政府在这儿！

为了救万名百姓于涂炭和风烛残年的危机，
世界各国的政府不分你我，拔出了剑，开始跟随凯恩斯了。

# 梁小民序

## 向凯恩斯学宏观经济学

过去只知网络写作高手有木子美，有慕容雪村，写些青春期的骚动，风花雪月。没想到网上还有柳泰宪在写经济学。当然这不是中国的网，是韩国的网。读了《在小吃店遇见凯恩斯》，我算服了。原来可以用网络文学这种让年轻人入迷的写法来普及经济学，真是一个伟大的创举。

网络文学当然要有卖点，要能让成千上万的网虫们入迷，"网虫"当然是年轻人多，让他们入迷就要知道他们想什么。不少网络高手们以为年轻人就想性，于是有了木子美。其实他们错了，没有钱焉有性？年轻人最想的应该是成为富人，有钱。柳泰宪了解这一点。因此，他一开始就提出如何让人人都成为有钱人。在第一篇开头就提出"一心一意想办法成为有钱人，才是最实际的做法"，并让大家"准备好够大的碗来迎接它"。这样的开头，别说年轻人被吸引了，连我这心如古井的老头也动了心。这样来介绍经济学能有人不读不看不入迷吗？

小店是书中韩国夫妇开的辣炒年糕店。辣炒年糕是韩国人爱吃也常吃的食物，开店的还是韩国古典名著《春香传》中的男女主人公李梦龙和成春香。这个地点足以吸引韩国的网虫了。在这里遇到的是英国经济学家凯恩斯。凯恩斯是现代宏观经济学的奠基人。遇见他，只能讲宏观经济学了。那么，这家小店和宏观经济学有什么关系呢？任何一个人看到这里一定会被好奇心驱使继续看下去——尽管盯着电脑的屏幕还是相当累的。

作者序言中告诉我们，小吃店代表日常生活，凯恩斯象征经济学知识。小吃店要做好、致富，就必须懂经济学。用发财的宗旨来说，要让人人都变成有钱人就必须人人都懂点经济学。这样，想致富的网虫们也就要开始学经济了。当然，由于语言通俗、浅显而又生动，在讲故事中把一点一滴的经济学道理融进去了，读下去除了眼睛累点以外并不是什么苦事。不过，我们这里要注意的是，小吃店里遇到的不是马歇尔。如果遇到了马歇尔就该谈微观经济学了，供求决定价格、需求弹性之类。其实这些内容对李梦龙、成春香夫妇经营小吃店更实用。但作者让我们遇见凯恩斯，那就要讲宏观经济学了，总需求、总供给之类。为什么作者要这样安排？让做小吃店的人还要了解宏观经济？

我想这是韩国人那种特有的民族忧患意识决定的。韩国是一个小国，国家的状况和每一个人休戚相关，他们对整个国家的经济状况更关注。1997年金融风波中，韩国人表现出的那种爱国壮举（捐献黄金、美元之类）正体现了他们那种"国家兴，个人富；国家衰，个人穷"的集体主义观念。在这种观念之下，开小店的人都与宏观经济状态相关，对整体经济变动极为关注，也就不奇怪了。也许正是出于这种考虑，这本书的重点是介绍宏观经济学。第一篇对经济学和亚当·斯密的介绍仅仅是全书的一个引子。

　　作者围绕小吃店如何经营成功介绍了宏观经济学的基本概念与内容。全书是围绕小吃店展开的，但不是介绍如何经营，而是介绍宏观经济学。这就有两个作用。一是让从来未学过经济学的人可以理解那些陌生而抽象的概念。这是入门读物一种经常采用又行之有效的方法。二是让读者从中体会一回经济与一个企业成功之间的关系。还应该注意的是，这本书的每一篇之后都有一节"在小吃店遇见有钱人的故事"。这一节把本篇的内容与致富之间的关系联系在一起，告诉读者如何从这些内容中学习致富之路，有画龙点睛，启发人思考的作用。阅读本书时不可忽略这一小节。

　　有人挖苦经济学说，你学了宏观经济学并不能避免失业，只不过让你知道为什么失业而已。知道为什么失业而仍然失业，当然是嘲讽经济学只能当智力游戏玩，而不能当饭吃的。读了这本书，你会感到，宏观经济学看似离我们很远，其实就是你身边发生的事。整体经济影响一个小吃店，也影响每一个人。知道为什么失业，离重新就业，甚至致富就只有一步之遥了。

　　宏观经济学本来是相当抽象的，但在作者笔下变得有趣而易于理解。我在一个晚上一气读完了这本书，十分敬佩作者的才华。我也写过通俗本的宏观经济学（三联书店出版的《宏观经济学纵横谈》，香港三联版改名为《漫话宏观经济学》），读过这本书后，自愧弗如。毕竟人家年轻，更了解年轻人。

这本书在韩国出版后极受欢迎，在台湾出版中文繁体字本后也洛阳纸贵。如今中信出版社出版该书中文简体版，嘱我写一篇序，故有此文。同时也希望国内的网络文学多元化，有这样更多知识化的读物。

梁小民

2005.11.3 于怀柔陋室

# 作者序

## 等待所有的人都成为有钱人的那一天……

大约是在就读大学3年级第二学期时候的事了；因为是周末，所以我搭了一辆计程车准备回家。平时不到两公里的路是散步不错的距离。不过这一天的气候有些凉意，天空看起来诡谲多变，所以也就临时决定要搭计程车回家了。

车子约摸开了一段路，计程车司机和我开始聊了起来。

"你是大学生吧？"

"是啊！"

听到我的简短回答，计程车司机又问了："在念什么院系啊？"

"我念经济学的。"

对话进行到这里，接着会问什么样的问题，根本不用想也猜得到。一定会问"那你就读哪一所大学啊？"之类的问题。可是，那个司机问了一个出乎意料的问题。"念经济系啊。那将来的愿望一定至少是当财政经济部官员之类的吧？"

在那瞬间，我的心里感到一股冲击，那股冲击是那么猛烈，以致再也说不出半句话来。事实上，我只不过是为了"文凭"才进大学就读的，对于学校和院系压根儿就没多去想过。之所以会选择念经济系，本来只是想找一个比较容易录取的院系念一念，找着找着就这么糊里糊涂在志愿上填上了经济系。也就因为如此，从来就没想过要好好用功读书，成为多么了不起的人。

听了那位计程车司机的一番话，我才了解到在大人们的心里所谓的"有为的大学生"指的是什么样的期待。也就是在那一天，我第一次对自己说一定要认真地念好经济系。虽然，还不知道将来毕了业究竟能做什么，但至少希望能成为一个让那位计程车司机竖起大拇指的人。

因缘际会的情况下就读了经济系，但也因此了解到那些为了致富甚至愿意出卖灵魂的人，却讨厌教人学会驾驭金钱的经济学的原因。人人都想成为一个拥有财富的人、却远离经济学的理由很简单；那就是，这门学问太难了。

令人费解的是，有关经济学的书籍一本本都是令人难懂的图表和算式，实在让人望而却步。没有一本关于经济学的书籍像体育新闻或文艺小说那么引人入胜，连在梦里也意犹未尽。

另一方面，念经济学的时候，我在那段期间发掘到连自己都不知道的特异功能。

那就是，我能把很难的事情以有趣且生动的方式解析。我并没有超越他人的理解力，但是一旦懂了，就能比任何人都有办法解释得简单且容易了解。

开始积极地念经济系之后，我只要一有空就阅读有关经济的书籍，然后开始以没有任何一本书呈现的另类方式写下心得：那就是决定写一本世界上最容易懂的经济学书籍。接着我就把所写的内容都贴在网上。不知道究竟有多少人会去看我的文章，就算只有一个人通过我的文字与经济学拉近了距离，那都足以让人感到欣慰。假使，能够成为某一个人在经济学上学习的助力，那真是一种天大的满足。

如今，这本书终于以这样的形式结集而成了，呈现在各位的面前。因为某个计程车司机的一番话，造就了经济学的篇篇章节。《在小吃店遇见凯恩斯》诚如书名，我试着努力传达生活中容易理解且易于吸收的经济学概念。

如果说，"小吃店"代表的是我们的日常生活，那么"凯恩斯"就是象征着经济学知识，一个为造就世上所有的人都成为有钱人而诞生的伟大梦想家。为了愿意学习经济知识而勇敢踏出第一步的人，我倒想舍弃高谈专业理论的方式，改以生活似的轻松步调，让大家能够轻松了解经济知识与我们的生活息息相关的各种面貌，而且明白它是我们在生活当中必须了解的用语。

　　或许，因为太急切地想要以浅显易懂的言词让大家一看便懂，所以，可能文章中有些用字遣词深度不够，不过，本书的内容并不狭隘。只要你能完全吸收本书的内容，去到任何一个场所，绝对让你在众人面前"闪耀知性的光芒"。

　　看完了本书所有的内容，我建议读者有空的时候到各个报纸的经济版瞧瞧。你也可以利用上下班的时间，从经济新闻当中看出一些端倪。久而久之，各位一定会发现，经济新闻比体育新闻更有看头。此外，无形之中你就全盘掌握了国家当前经济状况的走向。最重要的一点，它是能够带你走进理想国"有钱人国度"的地图。

　　这本书的完成，有很多好朋友的协助。如果我要说出其中最大的功臣，我想，是那位计程车司机先生。当这本书完成并且出版之际，我多么想向他说声"谢谢"，不过，我总是错失机会。藉由今天这个机会，希望能够表达我心里那份感谢！

　　每当我感到乏力，出现在我脑海的是成为我精神支柱的那帮好朋友，让我感激的心无以言表。今天这本书能够有机会呱呱坠地，全是因为大家的同心协力，对此除了满心的感激，也期盼所有这本书的读者都能因它而受惠。

# 第一篇

## 遇见经济学，爱上了它！

钱，这个家伙力大无比。所以，除非你早已准备好够大的碗
来迎接"钱"这个不得了的家伙，
否则你很可能无力承受被雀屏中选的幸运！

# 关于"致富"这样的梦

全世界都充斥着致富的热潮！人人都怀抱着希望一夜致富的梦想，进出赛马场、老虎机、六合彩投注站这些地方。很爱凑热闹的我，别人做什么，我也要凑一脚才行，所以特地也去买了一张六合彩，结果，当然是竹篮打水一场空。不知道是谁说过，六合彩不只是靠运气，而是一种科学。

就连书市也不例外，不只畅销的经管书籍，就连手札之类的畅销书籍之中，最少也会有2～3本书以"有钱人"为标题；所有书架上有关经管的书籍全都拼了命在高喊："致富万万岁！"

这样的情形是不是真有意义，我宁愿持保留的看法。因为这方面的评论，还是留给那些哲学家或社会学者伤脑筋好了。对我们来说，一心一意想办法成为有钱人，才是最实际的做法。当所有的人都投身追钱一族的行列，总不能就你自己高唱着："我要隐居在深山里，粗茶淡饭悠闲过，嘿呦！嘿呦！嘿嘿呦……"

除非你疯了！否则没有人想过贫穷的生活☆。有了钱，你才有雄厚的资本买东买西，还可以用名牌打造你自己，或者遇到一个还不错的对象一起去横扫全世界，歌颂着"美丽的我们，年轻的日子"。不过，说到这儿我们先停下来思考一下；一切为了致富而做的努力真正的面貌，以及我们的欲念是否走偏了？

为了想变成有钱人，所到之处我们瞪大了眼睛热中于找到"钱的身影"；只要嗅到钱的味道，不管在哪里，立刻有如小狗撑大了鼻孔朝着目标飞奔而去。充满着渴望钱的眼神，一旦发现钱的藏身处就打算伺机而动的战备状态。可是，并不是随时随地张着鼻孔到处嗅就能变成有钱人，也不是一刻不休息，"一片丹心"朝着金钱的方向猛追，大家就能成为有钱人。假如只需要这么做就能致富，那么我想早在几千年前每一个人都是有钱人了。而"贫穷"二字，可能也就从人类远祖时代的辞典中永远销声匿迹了。

## 和"钱"来场一对一会谈

某一天，我陷入很深、很深的冥想当中。这样的情形并不常发生，却在那一天让我无可自拔。不着边际地想了很多事情，最后我却和当时那个时代最流行的用语——"钱"迎面相遇了。不过，因为那天有些重要的"贵客"我必须好好地思考，所以，我也只是不解地歪着脑袋想了1秒钟，就很快地向它挥了挥手道再见了。可是，它却不肯离开，占据了脑海里的一角，一副非要说个清楚不可的姿态。

那天我原本打算会晤"爱"、"友情"、"世界和平"这些贵宾，根本无暇招呼"钱"这个不速之客。也不管我坚绝地回绝，"钱"这个家伙继续大刺刺地在我的身边打转着。

照平时的做法，我会毫不犹豫地起身离开，不过，那天我因为太过于陷入沉思的状态，所以没有多余的气力赶它走，只能有气无力地期待着它会自动离开。哪里想到"钱"这个家伙居然会这样死缠烂打，一副在能进行对话之前绝对不会撤退的姿态，在我脑海里打转了个把钟头。最后，是我拗不过它的"黏功"终于投降了，整理好了其他的思绪，开始了与钱一对一的迎面会谈。

钱问了我："你有什么样的愿望啊？"

于是我回答："我的愿望是（朝鲜半岛）南北统一！"

钱听了我的回答，它又问了："用不着这么虚伪，你老实说吧！"

我毫不考虑地立刻回答了："我的愿望是南北能够和平的统一。"

钱，它面露着鄙夷的微笑，并且继续对我说了："那根本不是你真正的心意，你直说无妨嘛！"

事实上，我一点也不关心南北是否能统一的问题。**我的心愿是个俗气、而且不可能成真的梦——那就是，世界上所有的人都成为有钱人！**我的天哪！又不是正值做梦的高中生，居然说梦想是世界上所有的人都成为有钱人。也许有些读者看到这里会觉得我幼稚得可以，甚至嗤之以鼻。

可是，我说的并不是随口说说的玩笑话；那是真心希望能够实现的一个梦。就算不能让世界上所有的人都成为有钱人，但是希望至少可以避免有人因为身上没有钱延误了送生病的孩子去医院就诊，只能眼巴巴地看着孩子死亡，这真的是我的心愿。期待像这种毫无道理得像个电视搞笑剧的情节，可以在我们这个时代彻底消失。结果，这样的心愿并没有机会实现，所以，只能是一个搁在心底遥不可及的梦，时间久了也就慢慢地模糊了。

## "钱"它告诉我，关于致富的方法

终究，我还是把这庸俗的心愿向"钱"坦白了。

"你不觉得现在放弃还言之过早吗？今天，我想告诉你一件很特别的事情，那就是致富的方法。不过有个条件，这件事情绝对不可以只有你知道，你必须广为散播，让世上所有的人都知道才行。"说完这样的话之后，"钱"开始告诉我关于致富的方法。"致富"，原来也不是什么特别的绝招。

举个例子来说吧，看到漂亮的美女，大部分的男人都会当场看直了眼难以收回视线，恐怕连自己是谁都忘了。可能有几个性格耿直的男人并不在此列；不过大部分男人的本能反应是目光离不开这个美女，直到视线的角度到达人类的极限，真是巴不得脖子能像猫头鹰般可以来个180度回转。单身汉甚至都会伺机向前搭讪了，还可能为了和美女建立交情，动员所有可行的办法与心思，晚上在美女家门口站岗，甚至演出为一诉衷肠写血书来表示爱意的恐怖场面，再不然就是从早到晚跟在美女后头，只为让美女感受到自己的存在。

这么努力真能得到伊人芳心吗？那可不一定。现在换做你是这个美女来想想看，也许你自己更厌恶像这种死缠烂打的男人呢！写血书这种做法，不但不能如预期般地给人深切的感动，反倒只会让对方觉得你是个精神有问题的人。

如果你就是女人，你一定很乐意选择英俊挺拔、有风范又有钱的男人，更甚于只会死缠烂打、从早到晚跟在你后头的男人。原因就是你认为只有这样的男人才能给你幸福，保障一个符合你美貌的优质生活环境。

想成为一个有钱人，同理可证——你应把自己当做是金钱，虽然这不容易做到，但请你务必试一试。

"我就是钱！我就是钱！"

**试着自我催眠，你会看见人们爱上你的神情。**世上所有的人都大声高喊着："钱！钱！钱！"所到之处紧追着你不放。连在睡梦中都会梦到你那圣洁的光辉，上班途中手抓着公车扶手，脑海里还痴痴地想着你的样子。但是，你无法接纳所有的人，你能力所及接纳的不过是其中一些人而已。如同一个女人必须在所有追求者之中做出选择，你也必须在紧追着你不放的芸芸众生当中挑出几个幸运儿。

如果是你，会选择什么样的人当这个幸运儿？假若你是挑选男人的女人，当然不用说一定是选择一个才貌双全的男人。也就是说，假如你就是钱的话，所做的选择一定也是以此作为基准；你一定会选择那个能够在社会地位与名誉上都能给你尊贵礼遇的人。你绝对会愿意帮助那个对你"情深意重"的人，拥有财富，懂得开源节流、懂得珍惜你的人将成为有钱人。

## 先准备好富翁专属的碗

尽管如此，绝对不是所有省吃俭用的人都能成为富翁。

**钱，它有另一套标准来选择真正具有富翁资格的人；这是指那些已经准备好富翁专属碗的人。** 钱，这个家伙力大无比。所以，除非你早已准备好够大的碗来迎接"钱"这个不得了的家伙，否则你很可能无力承受被雀屏中选的幸运！

那些买了彩票、赌马而一夜致富的人当中，有不少人却都成了一事无成的废人。这些人挥霍无度之余，成了购物狂者有之，一无所有到日子过得比中奖之前还要凄惨者有之。会导致这样的状况，是因为这些人都没有及时准备好迎接"钱"的到来。**你必须有够大的碗来盛装这力大无比的"钱"，而不被吞噬。如此，才有资格被"钱"雀屏中选当上有钱人。**

怎么样才能成为一个能让"钱"安心找上的碗？是不是一天到晚努力去念佛经、念圣经来修炼就行了？没错！平时就得努力修养，省思内在。擦亮你的碗，说不准哪一天当"钱"突然来按门铃的时候，你才不至于惊慌失措。

不只要努力念佛经、念圣经，你还需要多做一点和"钱"有关的功课——钱它究竟是什么、要如何迎接钱。总之，你必须多了解钱这东西，一种不是你辛辛苦苦地追着它跑，而是能教它自动追随你的功课。

长久以来，我们为了致富所做的努力，其实是白费力气外加徒劳无功。为什么？因为，充其量那是种永远只是跑在钱后面的"倒追方程式"；而我们该做的是如何让钱自动俯首称臣、乖乖地做我们的影子、如影随形？什么样的努力才是箝制住钱这东西的"最佳攻略"？首先，必须进行的准备工作就是"和自己聊聊"。

不能因为占有欲，就一股脑儿不分自己有用或无用地照单全收，更不是一味觊觎他的或她的，别人的都是自己的；我们需要学习"无所为而为"的哲思，领会一种心灵与思想相通的基本省思，更要懂得教钱"对你爱不完"。

这里不教你只钟爱大涨的股票，也不要你去研究怎么买早晚会暴涨的不动产，更不教你自私地只管自己吃得饱、穿得暖；**这是一门胸怀大志，立誓要促使所有的人都成为有钱人的学问！就是这个！教钱"爱你直到永远"，一门令人茅塞顿开的"经济学"。**

我们来想想看。许多人怀抱着有一天能够实现一夜致富的梦想，到处追着标榜"大赚，再大赚，你能一夜致富！"的股市分析讲座努力地上课。无视于生活周遭那些没有钱缴房租而自杀的隔壁邻居和面临破产而流落贫民区的住民，眼里只看见"投资不动产是一夕致富真正的方法"、"不动产是最棒的投资工具"这类华丽的广告，而迷失了理智。

身处在这样一个全世界都渴望金钱的大环境里，如果能多做些功课早日实现人人都富有的理想世界，你想，钱能逃得出我们的"五指山"

吗？假如我就是钱的话，我会选择的不是只会为自己着想的自私鬼，而是那个为了想让所有人都能致富而努力学经济学的人当做一生的伴侣。

看到这里或许有些读者开始质疑起笔者的阅历，然后重新检视笔者所说的论述。还可能猜想着"这个家伙搞不好是个骗子？也不知道是什么来路，嗯……竟然还有点圣堂教主的调调"、"这个人可能脑筋有问题"等等，笔者绝对尊重各位读者的这些猜测。

关于笔者说的"钱"告诉我的致富方法实用性指数100%，那绝对不是空头支票。而且，更是笔者经过长时间的研究，希望能实现心中理想——"让所有的人都成为有钱人"的结论。假如各位读者当中有人相信菩萨的存在，有人相信耶稣能复活，再不然至少曾经去算过命；应该不会坚持否定笔者的世上有"钱之女神"、"钱之精灵"这样的遐想。

如果你曾经想过你所看见的一切并不是真实全部的面貌，那么，请先暂时放下这本书再次好好想想"钱"这个东西存在的意义。想想"钱"究竟有可能喜欢哪一种人？哪一种又是"钱"会自动投怀送抱的人？我们总是拼了命在追赶着"钱"，却怎么样都很难迎头赶上，或许该是筋疲力尽的时候了。

☆绝对性贫困与相对性贫困：

从经济学的角度来说，"穷困"涵盖了两种意义：即"绝对性贫困"与"相对性贫困"。根据2003年2月9日韩国的《每日经济日报》社论，所谓"相对性贫困"，是指与他人比较之下相对穷困的状态；而"绝对性贫困"是指基本的生活机能都无法维持的状态。绝大部分的经济学者都主张国家应该出面积极寻求针对"绝对性贫困"的解决之道；相反地，他们认为"相对性贫困"完全是观念性的问题，而且是促进国家经济的推动力，并不是国家能够解决的问题。

# "富裕"和"经济学"的亲密关系

富裕有哪些种类？一般来说，我们所想到的富裕不外乎就是有钱，但是，它并不是富裕的象征。富裕可以分为很多种，政治性的富裕，心灵上的富裕，还有我们昼思夜想、爱不释手的物质上的富裕。

想得到政治性的富裕，我们需要一双能洞悉政治人物的眼和手。为了具备这样的慧眼，虽然麻烦，我们还是需要多看、多听新闻动向，有必要深入了解清楚这个正向你鞠躬哈腰、要你"惠赐一票"的候选人是什么样的家伙？

如果你想要的是心灵上的富裕，那么你最好笃信某一种哲理或宗教。

那么，想要得到物质上的富裕又有什么样的法宝？搞个皮包公司行拐骗之实，愚弄老百姓？该给别人的钱死命地握在手里，别人该给你的一块钱都不能少？无视于不动产无情地暴涨导致庶民生活于水深火热，只要自己的荷包满满就行了？这些都不是绝妙的方法。

这根本不是致富的方法，而是慢性扼杀自己最直接有效的方法。

当然，这样的做法是有可能一夕致富，但是一定免不了"钱"无情的报复。它可能会以各种不同的报复使者形式出现在你面前：死后地狱里煎熬灵魂的硫磺火，或是在父母吊丧的仪式中子女互争遗产那样狰狞的丑态。

诚如我在前面已经提过致富最明确的方法——就是多做功课，教

"钱"自动追随你，自动找上你。致富最基本的功课，就是准备够大的碗来装下"钱"的来势汹汹，方法就是多读经济学。

## 经济，以及经济学

对于经济学的定义很广泛，可是大部分都是令人头痛的长篇大论。简单地来说，经济是"经世济民"的缩写。其可以解释为"经营国家，救赎百姓"，以比较白话的说法是"发展国家经济进步，促使人人致富"的意思。那么，什么是经济学？我们可以说经济学是"研究发展国家经济进步，促使人人致富方法的学问"。

或者有人会问赋予经济的这些定义是否有所根据？老实说，并无根据可言，这是笔者自己的见解罢了。

其实到底什么是经济，笔者着实也费了一番苦思。为了找出有关经济的定义，我翻遍了所有关于经济学的理论类书籍，但是没有一个能让我产生共鸣的内容。当然我并不是看不懂"经济是财富与劳动力的生产、分配、流通这样那样……"这类奇怪的字眼来赋予经济一个定义的说法。我的意思是，头脑虽然早已充分理解，不过就是无法打从心底认同那些论点。所以，最后我只好找到一种自己能够完全认同的说法给经济下一个定义。

可是，当我的心中有了关于经济最好的定义之后，从我眼里所看见的经济学居然又有了全然不同的面貌。我试着了解"经济是财富与劳动力的生产、分配、流通这样那样……"的定义时，其实还不是很理解我们必须学习经济学的理由。

原本顶多只有"没错啊！念的是经济系当然要读经济喽"、"反正别人念，所以我也念"这样的想法，但是了解了让所有的人都能致富的学问就是经济学之后，那些长久以来装饰书架并覆盖着灰尘的书，一本、两本，开始在我眼里非常与众不同起来。

人人都富有的世界！"破旧的、饥饿的、极度贫瘠的……"一想到让这些字眼从字典里永远消失就是经济学的目的，我的内心还一度膨胀着莫名的震撼。甚至还觉得自己念了经济系这件事，说不定就是神的旨意。

万一巧遇同系的学弟学妹或有人问什么是经济学的时候，笔者还会口沫横飞地把自己所了解的定义叙述一番。最近，甚至还特别把始祖"檀君"〔被尊奉为古代朝鲜始祖的第一位皇帝，就是檀君朝鲜〕爷爷搬了出来，好好教育那些人，为他们对经济学的认知洗脑一番。

好比说，檀君爷爷曾经说过"弘益人间"，是指广为造福整个世界的意思。广为造福整个世界，其结论就是要让所有的人都得到幸福☆☆。可是，幸福最基本的条件是物质上的拥有。想想看，就快要饿死的关头怎么可能有精神上的幸福？就快饿死的挣扎边缘，死后就算上了天堂又有什么用呢？

追根究底不管是弘益人间也好、世界理想化也罢，都是得建立在物质为基础的根本上；檀君爷爷是老早就深谙这道理的。所以，我们不只是单纯学经济学的门徒，更是檀君爷爷想要建立的大帝国里伟大的战士。

听到这么精彩的言论，那些学弟学妹们早已被一种莫名的兴奋涨红了脸。笔者认为那或许是他们认知到自己存在于如此不凡的位置，感到一股热血沸腾的使命感而起的。这就好比是一个男人终于有机会握住心仪已久的女人的手，刹那间心跳加速的羞怯模样。

我没有就此打住比喻，接下来，特别提到对于大部分的人而言，可以说是崇高理想的〝诺贝尔奖〞。

知道诺贝尔设立的奖项有哪些吗？医学奖、化学奖、物理学奖等，大部分都是给理科生的奖项。文科生能去拼的，也只有文学奖和经济学奖这两种奖项。但是，其中的文学奖可不见得是每一个杰出人士都能拿得到的，也就是说，并不是努力就能拿得到这个奖项。因为文学功力多多少少和与生俱来的潜质有关系，所以照这么看来，文科生较能把握的诺贝尔奖项就只有经济学了。不过仔细想想，社会学系、历史学系、哲学系等大学里有这么多人文系列的院系，为什么偏偏只有经济学这一奖项？

这也就不难看出它对世人来说是何等的重要！受到诺贝尔奖这至高无上的权威所承认的经济学，选择如此不凡的院系就读的你们真是祖上积德有功，要好好地用功念书。所以如果有幸得了诺贝尔奖，就一定要大宴亲朋好友，你得了诺贝尔奖，我愿意抓一头牛来庆贺。

说到这里，那些学弟学妹们几乎都已陷入浑然忘我的境界，然后紧紧握住双拳认真地说：〝学长！我完全明白了。〞

当然，经济学并不是一门只有经济系的学生才能念的功课。用不着非得考进经济学系，你一样能念这一门课。近年来这类书籍越来越多样化，从前如果你想接触经济学的书，内容不但几乎都是艰深难懂的古文，甚至看起来全像是古代用过的来历不明的文章。在那样的情况下，人们很容易在还没开始之前就先放弃热忱了。

可是，近年来市面上看得到的这类书籍不但没有古文，内容更是浅显易懂、让人一看就能明白。各位读者若是先完全理解了本书的内容，再正式去挑战经济学，会是比较事半功倍的做法。

〝人人都富有的世界〞，光是想想就令人热血沸腾；而这就是实现理想的方法！你是否也觉得这是不错的想法？

## 缺乏经济学的时代

经济学真正在世人面前露脸的时间并不算很久，事实上也是如此。现在，请各位读者暂时和我一起回到苏格拉底、柏拉图以及亚里士多德等先辈努力研究哲学的时代。在那个年代，还不怎么需要经济学。怎么会呢？因为根本不需要找寻致富的方法。所有的事情都有奴隶会去做，哪里需要自己去花力气？煮饭由奴隶去煮、牛奶由奴隶去挤、房子由奴隶去盖。不是当奴隶的人，整天除了吃喝玩乐之外，就是去钻研哲学。如果说执意去找出他们的想法和经济有关的部分，也只有诸如此类的情形了。

"要怎么样才能压榨这些奴隶做更多的事情？"

"要到哪里才能去抓来更多新的奴隶？"

"我需要更会做事的奴隶。"

那样的年代除了烦恼这种事情之外，根本用不到如今这般定义的经济学；即便是骑士努力骑着马打仗的中世纪也不例外。有农奴为他们打点一切，所以根本不用去操心所需要的物质。那些骑士以及学者们惟一需要烦恼的是——如何才能压榨身边的奴隶去做更多的事情？

假如在那个年代想促成像今天我们所定义的这种经济学，恐怕得先假设不分奴隶或农奴都一视同仁，都能成为富翁才可行。但是，那个年代的奴隶和农奴不被视为人，而是被当做畜牲对待，惟一与动物有别的地方是他们会说人话。这些事情并不是蓄意夸大的故事，事实上当时处在支配阶层的人们就是有着这样的想法。我们所尊敬的亚里士多德也认为奴隶只能是奴隶，不可能得到其他的身份。

☆☆经济学所指的"幸福"

　　一般来说，"幸福"一词是出现在心理学或精神分析学里研究的主题；而经济学者研究幸福这样的举动，外人看来实属怪异。不过，根据2002年1月27日《每日经济日报》中的记载，在19世纪与20世纪初，新古典学派大部分的经济学家们甚至认为自己主张的是效用主义者（Utilitarians，功利主义者）。如此，推崇幸福为研究经济学的核心主题。根据最近一次由美国经济学会举办的年度例会中发表的论文《钱，能买到幸福吗？》，钱不但能使人们得到幸福，还能有效地减缓生活的压力。不过有个条件，那就是必须遵守不贪得无厌，更不会眼红别人赚钱的安分知足的原则。

# 经济学之父——亚当·斯密

## 经济学，终于诞生了！

　　有个人名叫亚当·斯密☆☆☆（Adam Smith，1723～1790）。他出生于1723年，相当于韩国历史上英祖（1694～1776）君王时代的人。这个人就是创造经济学的学者，学经济的人都知道，并且称他为＂经济学之父＂。一般有关于经济学的书籍，一定都会提及亚当·斯密这个人，而且有关经济的报道也经常会有他的名字出现，所以，你最好藉由这次的机会，好好地把这个人的名字记得牢牢的，往后一定会时常应用得到。

　　亚当·密斯活跃的年代，完全不同于骑士们在马背上骑马打仗的中世纪。

## 亚当·斯密——揭开致富面纱！

　　亚当·斯密成名之前，人们认为黄金就是致富主要的源泉。将拥有许多黄金的人视为有钱人，拥有许多黄金的国家就被视为富有的国家。所以，寻找金矿是那个年代最热衷的事。当时还没有像美金或日元这类的货币，所以一律使用黄金来进行各种交易。尽量减少进口，因为黄金会随物品进口而流失；相反的，不计手段与方法尽量对外出口。因为，黄金会随着货物出口而大量涌进。

政府也大量节制进口，不但对于进口量的干涉近乎到了令人不胜其烦的程度，限制从事出口与进口的贸易商等。此举也因为当时人数少，比较容易管理的关系。

亚当·斯密对于这样的政策强烈表示反对的意见；因为，他认为拥有再多的黄金，也不见得能够致富。黄金既不能拿来吃，更不能拿来穿。就算身怀黄金万两，如果没有即刻能够填饱肚子的食物，少了挡风驱寒的衣服，再多的黄金也无济于事！

**亚当·斯密主张一个国家的富裕并不在于拥有多少黄金，而在于民生必需品如食物和衣物以外，还有多少其他生活所需要的生活用品而定。**此外，他还认为要让一个国家致富的方法，就是其政府不再加以限制或干涉进出口。因为要想促成一个富裕的国家，政府其实没什么能做的。不过，如果勉强说政府有什么可以做的，那就是政府只需要为人民防范贼盗，维持良好治安。如果真有可能，他认为政府应该安安静静地待在角落不要胡闹，就是建设国家所做出的最好举动。

居然说出"要政府安安静静地待在角落别胡闹就是建设国家最好的举动"这样的一句话，亚当·斯密这样过激的言词深处，究竟有着什么样深远的含义？


## 亚当·斯密，发掘利己心！

利己心，一句不甚有美感的用词，令人感到浑身不自在。而"被排挤"这样的用词，应该是适合这类人最恰当不过了。

利己心是罪恶的！我想，天堂之门必定与它背道而驰。如果说有种寄生虫专门危害国家的安定与国民的幸福，那么，最具代表性的说不定就是利己心了。

事实上，亚当·斯密生存的那个年代，人们的想法就是如此。教会里牧师们也会每天都传道说："利己心，与撒旦同义，是直通地狱的单程车票。"

但在这个时候，亚当·斯密高高举起手，发表了他不同的看法。"我有话要说！**利己心，绝对不是撒旦的同义词。利己心才是能够让人们成为有钱人，将国家推向富强的重要元素。**"

看到这里大家可能一致的反应会是："这是什么话？"但其实这不是多么艰深的言词。举个例子，如果你开了一家小吃店，你想，你会以什么样的心态经营生意？

"今天，我要做出世界上最美味的小吃，让那些来到我店里的客人品尝。我希望每一个来到店里的客人，都能感受到我的小吃带给他们的幸福。那么，我该准备什么样的材料才好呢？虽然有点麻烦，但我仍然应该到处找新鲜的食材来备用，这么做才能让每一个客人都拥有健康。不新鲜的食材会危害客人的健康，所以，我绝对不应该使用。"

这绝对不会是你开小吃店的本意。我是说，这不会是你活在这世上的准则，而你绝对是以这样的想法做你的生意——想办法多赚一点，钱才是最有用的。为了赚钱，我必须做得比隔壁更好吃，那么，我该到哪里去找食材呢？虽然麻烦了一点，我还是得多从几个地方找到最新鲜的食材。这么一来，我做出来的小吃才会更好吃，我就能赚得比别人多了。

说起来实在不是一件值得夸耀的事，然而这正是大部分人做生意的心态。只是顺着自己的利己心去行事而已，但是小吃越是美味，收费却只能越收越便宜。

17

　　这样的情形乍看之下似乎没什么，其实这的的确确是在进行一种革命。长久以来，人们安分守己遵循着宗教的教化，认为利己心是可耻的，认为追求自我利益是有罪的。在这样的思维之下，小吃的美味、新零嘴文化的发展，不得不局限在狭隘的窠臼之中。

　　可是，亚当·斯密却大力歌颂着利己心才是让大家都能吃到美味小吃和米肠的伟大精神。这是亚当·斯密关于人性最原始本质、强而有力的能量——"利己心"表示的深深祝福。因此，人们再也不需要把利己心埋藏在心底。从此，利己心不再是可耻的撒旦行径，而是能够造福国家、拯救世人的天使。

　　其实，亚当·斯密为利己心所赋予道德上无罪的说法是相当强而有力的。多少以夸张的说法来解释的话，今时今日大家所追寻的所有物质性的富裕，这利己心正是致富的根源。因为现代汽车把追求自我利益的利己心作为经营方针，大家才有索纳塔可以开，因为有三星电子把想突破自我发展的利己心作为经营方针，今天我们大家才有便利的手机可供使用。

## 亚当·斯密，发现市场！

　　人们为了购买衣服或鞋子，或是为了替老婆大人买菜而到市场去。这种早期市场在檀君老爷爷爱抽老虎牌香烟的年代早就存在了，当然，在克娄巴特拉（69~30 b.c.，古埃及托勒密王朝的末代女王，朱利叶斯·恺撒和马克·安东尼的情人）与恺撒相爱的时代和牛顿傻傻地看着掉下来的苹果突发奇想的那个年代也有。但是，直到亚当·斯密发现市场之前，没有任何人了解到市场所潜在的爆发性的契机。亚当·斯密的发现，可以说与牛顿发现的"万有引力"一样的伟大。

那么，市场究竟有什么样的功能？请你暂且想像一下自己是一位国王。你一定会希望如同自己心里所向往的那样，做个能够受全国人民爱戴的国王。但是，不见得能像心里想的那般容易。因为，你不可能挨家挨户去了解每一个人民的心思。你只能动员自己的所知所能，以及所有臣子的智能，去设想百姓的需求。

不过，对李梦龙有益处的，未必对成春香来说是好事（**李梦龙，韩国古典文学《春香传》的男主角。成春香，韩国古典文学《春香传》的女主角**）；小红会高兴的事，或许会惹得小豆吹胡子瞪眼。因为世人千百种，贪念亦是各色各样。

为此，许多国家的国王苦恼之余，决定齐聚一堂，商量对策。换成现代人的说法，就是指世界各国的政府官员进行的财经高峰会议。

"有没有什么办法可以看出民心？"

这时候，亚当·斯密提出了解决方案。"殿下，请别做任何事，这就是最好的办法。您只需要静静地待着，市场趋势会自然而然替您解决这头痛的问题。"

亚当·斯密的理论其实非常简单。好比说，我们先来假设大家喜欢吃红豆饼多过于吃煎饼。这么一来，卖红豆饼的店家会越来越多，红豆饼的卖价也会水涨船高；然后，随着红豆饼的身价越来越高，那些原本卖煎饼的店家为了赚钱，也都会纷纷改卖红豆饼。

接下来的情形令人可想而知，市场里卖红豆饼的店家会不断增加，而卖煎饼的店家就会自然的减少。并没有谁下达命令，是自然而然地去迎合百姓的需求增量生产，不需要的就自然被淘汰。

但假如没有市场的存在，政府根本无从得知百姓的需求。硬要找个方法来的话，那就是出动所有的公务员，挨家挨户地去调查每一个人心里的想法。而市场正是发挥着这样的功能，替政府处理这些事而不收取一分一毫。

☆☆☆国富论

1776年，亚当·斯密的代表著作。

书名虽然以《国富论》（*The Wealth of Nations*）著称，但其原名为《国民财富的性质和原因的研究》。从这本书里，我们可以发现今时今日大家竞相学习的经济学概念的种子。如同条条大路通罗马的道理一样，就算说所有经济概念的思考都以此书为依据，其实一点也不为过。

农奴们努力地进行抗争，与管理阶层不断发生肢体冲突、流血战争，终于获得自由，成为完全的自由人，变成了今日一般的市民。坐落在都市里的工厂，机器运转的轰隆声震天价响。学生时代，从课本里读过的"产业革命如何如何……"，这就是亚当·斯密生存的年代。

他之所以会成为经济学之父，就是因为《国富论》这本书。这本书从世界上所有教人们致富的方法与指南中，一跃成为明日之星，也让他从此名气攀升不坠。然后，就成了经济学的始祖了。

把这样一个自动解决百姓的需求，却无法靠肉眼察觉的如市场这种某种自然的机制，亚当·斯密称之为"看不见的手（Invisible Hand）"（即便个人只是为了自身的利益而做的事，市场这双看不见的手，却会适时地把个人所做的引导成为大家的利益。也就是说，个人尽管只需要为自身谋利就好，其余的就交给市场这双看不见的手来安排，而我们根本不需要去担心任何事），就像随着交警流畅的指挥而畅通无阻的马路，市场的某种机制会应和大家的需要而生产物品。

　　如同利己心，"市场"也是个伟大的发现。

　　自从亚当·斯密有这样的新发现，英国政府就积极地运用人类与生俱来、无限潜力的根源——"利己心"，到处设立能够发挥自然解决机制的市场，促成了人类有史以来最难得的繁荣。

21

# 如何测量"富有"的深度？

## 谁才是有钱人？

为了要让大家致富，昨天和今天，经济学全力以赴，不停歇。不过有个重点我们必须弄清楚，在前面的章节所提过的关于致富这个东西，它需要一个定义。举个例子来说，如同以下的情形：

假设正在看这本书的你是一位妙龄女郎，而我则想问你一个问题：在家财万贯的有钱人与月薪很高的对象之间，如果只能选择一方的话，你会选择哪一边呢？当然，你可能会选择家财万贯的有钱人，更有可能选择月薪高的这一边。这样的问题，没有绝对的答案，因为任何一个选择都存在着优缺点。

一般来说，有很多钱的人，我们将之称为有钱人。那么，一个人究竟得拥有多少钱才能被叫做有钱人？

**根据2004年2月6日《Morning Today》报道，在西欧，除了居住的房子之外，拥有的金融财产达100万美元以上的人，就会被看做是有钱人。**

把这种情形与韩国的物价相比的话，相当于一个人住着50坪（约合165平方米）以上的房子，月收入大约有1 000万韩元（约合人民币7万）以上。但是，这种关于有钱人的定义是会随着经济发展的速度而有所不同的。要是将此看做是绝对的定义，那么，可能很难从相对的贫困中脱离。

现在我们就先以你假设选择了有钱的男人来分析情况。第一，这个男人很可能不在乎有没有公司可以上班，因为家里让他继承的土地或财产，足够他无忧无虑地过生活。问题在于，当他面临耗尽了所有家产的那一天。如果一个男人只知道坐吃山空，而不懂得发展事业，这会是非常令人伤脑筋的问题。

假如你选择的是那个月薪很高的男人。这个男人要是被公司裁员，他会立刻感到前途茫茫。不过，既然曾经是高月薪一族，就表示他有绝对足够的谋职能力，能够再次找到另一个就职机会的可能性是非常高的。就这一点来看，比起家财万贯的男人，对于未来可能更有十足挑战的勇气。再者因为没有父母亲授予的家产，所以发自内心努力以赴，并且脚踏实地打拼的可能性也比较高。

好像话说得多了一点，总之，问题的重点就是到底家财万贯的人和收入高的人，谁才是真正的有钱人？一个国家的情形，同样也可以提出这样的疑问。究竟拥有丰富的天然资源、幅员广阔的国家就是富国呢？还是国民收入高才是富国？哪一边才是真正的富国，得通过一个基准点才有可能判断。此外，国家的富强和国民的富足，也才有正确的途径可循。

## 测量一国富有程度的GNP与GDP

亚当·斯密之后，才开始陆陆续续有其他的经济学家崭露头角。但是，这些学者的理论基本上是以亚当·斯密的理论成果为出发点，而且并没有脱离其范畴。稍微夸张一点的说法就是，拿了亚当·斯密所做的骨架，再黏上一些肉渣罢了，当然，对于致富所持的观念也是一样的。

他们未能大胆跳脱亚当·斯密主张——国民除了衣服和食物以外，依据拥有多少财物而判定一个国家富强与否的观点。

今时今日，许多国家赖以测定富有程度所使用的GNI值☆☆☆☆、GNP值（Gross National Product，国民生产总值）或GDP值（Gross Domestic Product，国内生产总值）这些准则的观点，充其量也只不过是亚当·斯密骨架上的肉渣。

GNP值是指1年来该国人民所有生产的总值。简单地说，不论是在菲律宾制造的、美国制造的、在月球上制造的还是在某个星球上制造的，总归就是把所有该国国民制造出来的东西悉数合起来，就是所谓的GNP值了。

举例说：出了远门的阿吉爬上金刚山挖到了值10韩元的人参共10根，移民到龙宫的沈清姊姊做了两个100韩元的蛤肉片，飞到月亮上打算抓玉兔的林巨正爱上了那只兔子在一起生活之后，开了石磨工厂生产了两个100韩元的石磨。假设，韩国的国民只有阿吉和沈清、林巨正〔林巨正，1928年连载于《朝鲜日报》的长篇小说主角〕等这几个人，那么大韩民国的GNP值就是500韩元了。

GNP值 ＝（10韩元的人参×10根）＋（100韩元的蛤肉片×2片）
＋（100韩元的石磨×2个）＝500韩元

2003年的时候，韩国的GNP值是800兆韩元（1美元约合1121韩元）。简单地说，也就是把韩国人民所制造的小吃、食物、汽车、飞机等全部加总起来计算得知，总财产值是800兆韩元的意思了。

GDP：国内所从事生产量的总值；

GNP：国人在全世界各地所从事生产量的总值

另外GDP值是指国内所有生产物品的量。不管是阿猫做出来的，还是小花做出来的，反正把国内所有的产品全部加总起来就是GDP了。在2003年时，韩国GDP值是780兆韩元呢！

相信各位读者看到这里已经稍稍有点概念了，如果说GNP值的概念

### ☆☆☆☆GNI值（Gross National Income，国民总收入）

根据国际进、出口所计算的收入。举例来说，有个国家1年生产3大麻袋的米。他们卖出其中1袋，换取了1碗汤。这时候，该国的国民总收入是两袋米（＋）1碗汤。1年后，汤的国际售价涨了，变成2袋米才能换取1碗汤。这时候，则该国的国民总收入是1袋米（＋）1碗汤。如果不考量交易的条件，则该国的国民总收入就只生产了3袋米，与往年没有变化；反之，考量交易条件的情形之下，则国民实际上能够得到的收入就会缩减。

是重视国际间的波动，那么GDP就是把重点放在国内的数值了。在外国投资人还寥寥无几的时代，GNP值是观测富有程度的一个测量值。不过，外资比重扩展迅速的今天，GDP值就更能将该国的富有程度以比较接近实际的情形呈现出来。

现在假设迈克尔·杰克逊在韩国开了一家墨镜公司好了。接着，韩国人会到他的公司谋职。如果生意还不错，赚了不少钱，那么因为是在国内赚到的钱，所以极有可能他会在韩国进行其他的投资。结论是：迈克尔·杰克逊究竟是哪一国人并不重要，墨镜生产自哪一个国家才是重点。

# 遇见经济学之母——凯恩斯

## 做出来就卖光光！

多亏有亚当·斯密，我们才有办法测量一个国家拥有多少财产。然后，为了壮大财产，政府也学会了安静地退到一边不吵闹，而人民不再以利己心为耻，了解到只要肯为自己付出努力就能抓到成功的机会。这实在称得上是个既简单又明确的理论。

事实也证明，拿这样的理论做基准，世界更是拥有了巨大的财富。不论来自什么地方，不分性别，只需要做出迎合大众胃口、美味的小吃，就有机会致富。当然，不是随便谁做辣炒年糕的生意都能致富。假若人们不吃面包只吃米饭，不吃辣炒年糕只吃米肠，那么，面包店老板和年糕店不要说赚大钱了，还可能得关门大吉呢！

不过在亚当·斯密那个年代，根本用不着担心会发生这种情形。为什么？因为在那个年代不用操心东西卖不出去。那个时候物资不像现在这么普遍，所以只要有人贩售，不消多久时间就会抢购一空。各种机器生产出来的商品全都会被销售一空，而大家惟一需要关心的事情就是谁有能耐制造更多的商品。这种情形在经济学里头有如下的说法——

"供给，它会自行创造需求。"☆☆☆☆☆

这句话听起来似乎满有见地的，更白话的意思是只要制造出来就一定能卖得掉。在这里附带一句参考性的话：所谓供给也就是指勤奋生产各种商品的行为，而需求意指到便利商店或市场努力购物的行为。

## 凯恩斯诞生了！

1883年英国诞生了一个小男孩，他的名字叫凯恩斯（John Maynard Keynes，1883～1946年）。他是个非常有名的人物，所以大家如果在高中时代不是混得太凶，应该是多多少少有听过这个人的名字。

若是以功夫影片的主角来比喻的话，大概就是李小龙。与先前谈过的亚当·斯密论高下的话，若说亚当·斯密是经济学之父，那么，凯恩斯就可以说是经济学之母了。

当然，亚当·斯密和凯恩斯根本不可能见面。因为亚当·斯密死于1790年，而凯恩斯则在他死后的100年才出生。常看功夫片的人可能比较有概念，在大部分的功夫片情节里，其主角的师父只有在影片刚开始时稍微露个脸，说几句语重心长的台词之后就不会在片中出现了。

"为师的再也没什么好教你的了，往后你就好自为之吧！"

接下来就是主角精彩的演技贯穿整部戏了；"经济学"这部戏也是如此。亚当·斯密出现在片头开场白说："这就是经济学！"之后退场，紧接着由凯恩斯登场，而后面的戏剧情节就成了凯恩斯的独角戏了。或许，我们以较夸张的说法来形容20世纪60年代末期的经济学的话，可以把它看做是"主演：凯恩斯与他的众弟子；主演：凯恩斯与气味相投的群众"，这样一部剧中人物单纯架构的影片。

## 凯恩斯，发现需要！

"只要做出来就卖得掉"，这个法则持续了相当长的一段时间。即使有时候也会有卖不出去而堆放于仓库的情形发生，但是过不久还是全都卖出去了。

可是20世纪20年代末期（**大萧条发生的年代，是指1929年发生自美国，横扫20世纪30年代，将全世界陷入经济不安的事件，可以说是促使凯恩斯登场的时代背景**）竟发生了震撼人心的事件——辣炒年糕开始卖不出去，米肠和牛小肠面临同样的情形，这些商品逐渐堆放在仓库里滞销。产品滞销导致公司行号开始裁员，收入骤然缩减的人们也不能放心花钱吃米肠和辣炒年糕了。随着这样的情形，形成了辣炒年糕和米肠不但滞销、还越堆越高的恶性循环。

按照亚当·斯密的理论，某些时期可能会发生库存（**是指没能卖完而堆放于仓库的滞销商品与各种原料**）的情形，但是基本上一定都能再销出去。可是，过了1天、1个月，甚至1年，堆放在仓库的原料依旧堆积如山。望见这样的恶性循环，经济学家们跳出来说话了，言词却如出一辙：

"不用多久，这些情况一定会改善的。请大家再耐心等待，那些原料会自然消失的，各位就放心地专心经营事业吧！千万不能被鼓动社会混乱的不肖势力的恶作剧吓到了。诚如诸位经济学家们说过的，美好的世界就快要降临了，让我们努力地祈祷吧！"

这时，凯恩斯好似民族救星勇敢站出来说话了："你们在说什么鬼话？再不快点改善这个劣势，在美好的世界来临之前，大家早就都饿死了。各位大佬都是傻瓜吗？人都死了，美好的世界有什么用呢？"

　　凯恩斯以强而有力的语气把自己的想法表达出来。他的主张并不难懂，他发现的就是"需求的重要性"。诚如亚当·斯密发现了利己心，从某些角度看来，在平淡无奇的世界，无端地赋予了一层新的意义似的。

　　亚当·斯密活跃的那个年代，物质并不富足而且经常是短缺的状态。因为这样的大环境，所以一旦把东西做出来很快就卖完，是理所当然的了。

美味可口，真的、真的很好吃，吃完还想再吃……拜托……。

需求

　　凯恩斯开始活跃的时代，正是"大量消费，大量供应"的社会形态刚成形的时候。那个年代几乎人人都有汽车，更能在购物中心随心所欲地买东西。再也不是那个只要做出来就卖得掉的"贫困时代"，而是物质过剩的"富有时代"。这样的一个时代，重要的不是制造，意即"供应"，而是人们有多少消费能力，意即"需求"。

　　这理论实在是太简单了，现在，我们先假设你是一家小吃店的老板。就算你有个手艺很棒的厨师煮得香味四溢的辣年糕，就算你店里端盘子的女服务生很漂亮，但是，如果没有客人上门，你仍旧可能得面临关门大吉的危机。

到处都是小吃店，法律并没有规定客人一定只能上你的店里吃东西。不管你的店里一个月花1 000万元成本做辣年糕，还是花1亿元成本做辣年糕，如果客人在你店里的消费只有1 000万元的话，你的收入也就只是那1 000万元。真正重要的不是供应，而是需求量的问题。

## 凯恩斯，发现政府！

凯恩斯尚未崭露头角之前，政府一直都乖乖地听经济学家的话，安安静静地待着不多干涉。闲来就抓抓贼啦，再不然就是替民众处理登记身份证。偶尔发生了森林大火，就出动人员去救火。

然而凯恩斯主张，政府不该继续蹲在角落默不作声，而是应该站到历史的舞台拯救世界。不该等着仓库的库存自动消失，政府必须卷起袖子一马当先解决问题。

凯恩斯提出的方法相当简单。他认为，政府得充当先锋，自掏腰包去造路、建设工厂、修建水坝。如此一来，失业的人就可以有份领薪水的工作。一旦这些人有能力吃得起辣年糕和米肠，那些存放在仓库里的原料就会开始减少。

结论是，凯恩斯推翻了长久以来所有经济学家的观点，指证那些要求政府别干涉经济的各种活动，只要他们抓抓贼、维持治安的说法是大错特错的。他主张这个世界改变了，这时代最重要的是需求。他强调，假如因为需求的缩减导致仓库库存堆积、国家经济衰弱，政府就必须一肩扛起责任、提供就业机会，如果没办法提供机会，就算得免费送钱给人民，也要想办法让他们去购物进行消费。

依我们现代人的观点来看，这实在是再简单不过的理论，并没有特别突出之处。但是在当时，凯恩斯这样的论点甚至被指控为＂革命党＂的作为。他所提出的主张在当时意识形态的社会架构来说，是相当令人震撼的；尔后，人们则将这个论点称之为＂凯恩斯革命＂。

### ☆☆☆☆☆需求VS. 供给

需求：就是促使人们想要购买商品的欲望。当售价下跌时能够购买比以前较多的数量，这时候就会刺激人们的购买欲，市场的需求量也会变大；相反地，若是涨价，能够买到的就所剩无几，所以需求量也会随着缩减。

供给：商家希望能够贩售各种商品的欲望。售价上涨就会有更多的钱进他们的口袋，所以供应量就会增加。但是，价格下跌时商家则会减少供应量。

# 1 在小吃店遇见有钱人的故事

**先让自己做好心理准备，当有钱人！**

富者之路！任谁都想在自己有生之年走一遭。但是，没有做好任何的心理准备就踏上这条路，很容易迷失方向，成了迷路的孩子。若是在深山里迷了路，或许可以打119喊救命，可若迷失在致富之路，可就求救无门呢！我们有非常棒的地图和了不起的指南针；那些比我们先踏上富者之路的前辈们，留下了指引的地图和指南针。现在，我就为各位读者介绍前辈们所画下来的路径。

"第一，只管相信自己就快要致富了。"这句话实在是对极了。

"我办不到，本来就只有天赋异禀的人才能当上有钱人。"这样的想法，绝对不可能让你圆那致富的梦。

不是有这么一句话吗？"信念的魔力"，信念会让奇迹发生，是我们无可否认的事实。在我们的身体里，有某种连自己都不自知的无限潜力，还没有看到自己的变化，表示那份潜力尚待被发掘。我们无法确定那到底该归咎于教育制度，还是周围环境的因素。至少，我们不可否认蛰伏在身体里的那无限潜力。读者可能至少听过一次关于某一个母亲为了救出卡在货车底下的女儿，奋力将卡车举起来的故事。

大部分有关致富学的书籍，一开始都是强调潜力的重要性、自我暗示的重要性来作为开端。笔者将那些书籍章节中印象最深刻的部分，在此做个简略的叙述：

"我们暂且不管你认为自己能够致富也好，认为自己办不到也罢，因为那根本不重要。真正重要的是，环境会随着你的愿望，成为既定的事实。"

"第二，建立确实的目标。"

许多人都渴望致富，或坐或站一刻不得闲，努力想着要致富。不过也仅止于想像而已，而从不去想自己要拥有多少财富。据说能否将梦实现，不在于特殊的理由，而在于究竟能把梦多么具体化来决定。好比做单杠的时候心想着要做很多，还不如告诉自己一定要做10个来得有帮助；跳远的时候不要只想着要跳很远，而是应该先在目标处做个记号，正式开始的时候，朝着目标向前冲更有效率。

最近有一本名为《要赚，就赚10亿》的书大受欢迎，就某个角度而言，为那些根本没有明确目标要赚多少钱的人，提供了一个可供参考的数字。"我，究竟需要赚多少钱？"是值得认真思考的问题。

"第三，将钱存起来。"

假如你已经用自我信念武装好自己，也明确知道自己想征服的财富的具体数目，那么，现在你只需要爬过山头就行了。到底该攀登股票这个岩壁，还是要搭乘缆车前往不动产、甚或踏上金融商品这条登山小径？一旦决定了，最后的战绩就是自己的了。

前辈们个个异口同声告诉我们，只有投资不动产才是真正致富的方法。暂且不论在韩国靠着投资不动产致富，在道德和经济的角度究竟有什么样的意义？但是每个人几乎提示相同的方法，不免让人感到有些苦闷。

# 第二篇

## 感受需求带给你的乐趣

即便这是你打从出娘胎以来第一次接触经济学，
学得头昏脑胀，我们还是再多忍耐一会儿！
为自己往前铺上扎实的路径，一步一步向前走吧！

# 一再创造奇迹的外送民族

为了致富，我们开始学习经济学，但却意外地回顾了许多人物。就像翻阅旧时回忆的相簿，这是种感觉遥远却又亲切的体验。李小龙、永弼大哥、杜雷、迈克尔·杰克逊、沈清姊姊、吉童……真的是回顾了不少名人。就算能把小学时代那本布满灰尘的日记本找出来翻阅，大概也不太可能一一回顾这些名人吧？但是我们的的确确和他们相遇了，而且竟然是在经济学书籍的扉页里！

从不曾有哪一本经济学教科书尝试过的原创！早期时代，谁也想像不到的，属于我们这个时代的原创精神，相信一定会持续下去的。

即便这是你打从出娘胎以来第一次接触经济学，学得昏天暗地、头昏脑胀，即便你的耐心已经达到极限，双手握成了拳头临近抓狂的边缘，我们还是再多忍耐一会儿，继续往后面的章节看下去吧！当做是与回忆中的英雄人物来一场甜蜜的约会，当做承受这一切的磨难，都是为了与他们相遇的代价。为自己往前铺上扎实的路径，一步一步向前走吧！

## 成春香开了辣年糕店！

成春香为了替进京赶考的爱人李梦龙准备盘缠，于是开起了辣年糕店。她大可以整天无忧无虑地和香缎荡荡秋千啦、玩捉迷藏什么的，只因为李梦龙为了准备上京考试，没法赚生活费，所以春香就决定开个小店混口饭吃。要是身边的资金足够，他们就能租个像样点的店面。然而，贫穷的春香只能以仅有的积蓄勉强在村子里租了个小店铺，开始了她人生第一次做生意的日子。

她的店面实在是很小，只要坐个1～2个客人，整个空间就差不多挤满了，说真的，那只能算是一个让人得踮起脚尖才有座位可坐的小店。为了靠这个小店谋生过日子，春香于是拟定了作战策略。

首先，她开始分析是什么样的客人会到店里吃辣年糕。会来吃辣年糕的客人大致上可以归为两大类：直接来到店里吃的客人和点外送到府的客人。假使春香的店面再大一点，她招呼来店消费的客人就足够了。但是，春香的店小到只能容纳1～2个客人坐在店里头吃。因此，为了求生存，她还是得做外送的生意。即使再烦再累她都得送外卖，等赚到了钱再换个比较大的店。对春香来说，她并没有选择的余地。

## 发现辣年糕店的需求

现在我们就来探讨一下原因，首先，假设有一家辣年糕店的店名就叫做"大韩民国"吧！简单地说，"大韩民国"这个国家就是个卖辣年糕的大型卖场。这样的情景可能很难以想象，不过，我们还是尽力而为努力看看。如果读者当中还是有人实在没有办法想象，那么这样好了，把在大韩民国的所有餐饮店都当做是"辣年糕店"。

接下来分析一下是谁会来吃我们用心做出来的辣年糕：第一是韩国的国人，也就是说，在银行上班的英子、靠老公过日子的顺子，以及整天吃喝玩乐的美子等，这些大韩民国的国民会到店里来消费；第二是外国人，也就是指爱上大韩民国炒辣年糕美味的克林顿与麦当娜，不管是冷冻的、加工的，他们会想尽办法进口辣年糕好一饱口福。

假使韩国土地够大，大可不必做出口也能过得无忧无虑。因为，就算只做国人的生意也能赚大钱。但是众所周知，韩国并不算是面积大的国家。不论是经营汽车公司还是做坦克车的生意，只针对国人实在是无法赚到大钱。

打个比方吧，某家汽车公司1年至少得卖出100万辆汽车，公司才有办法持续经营下去。可是，韩国人1年内的购买力只有10万辆，这时该

国人（内销景气）　外国人（出口景气）

怎么办？没有选择的余地了。这下只得像春香那样做外送的生意，意即出口。如果国家的占地面积够大，人口超过1亿的话，就算不做辛苦的外送经营，也就是指出口，照样可以过得好、赚得饱。但是诚如大家都知道，韩国的占地面积并不大，人口也只有4 700万人左右。

现在，你是不是能够体会到春香在最后关头还是选择做外送生意的心情？如同春香必须劳苦奔波，到处送外卖才够三餐温饱的大韩民国！

# 连小吃店也受经济影响

## 最近，景气☆太好了吗？

经常从报纸或新闻节目中听到景气复苏了、或是景气衰退了这样的消息。在这里所说的景气，是指"经济成长的趋势"。如果读者之中有人问我有什么根据，笔者也无话可说。因为希望读者们能够心领神会，所以笔者才会以这句话来表达自己的想法，不过还不致脱离原来的精神，所以不需要想太多。

假设，经营辣年糕店的春香说了这么一句话："最近，景气实在太好了。"

我们可以将春香的这番话以这样的方向来解读——最近靠着炒辣年糕生意，赚到的物质实在很丰富呢！

更白话一点来解释的话，就是在说："最近赚了很多钱！"

如果报纸或新闻媒体说："最近的景气衰退，实在很糟糕。"解读这句话是这样的——近来国内的物质财富无法持续成长，实在很糟糕；意即，近来的生意都不赚钱，全体国民的生活都过得很辛苦。

## 从里面赚的钱，在外头赚的钱

春香卖辣年糕所赚的钱，大抵可以分为两大类：一是来自于来店消费的客人，二是来自外送到府的收费；韩国人赚钱主要的途径其实与之大同小异。

向韩国购买所生产的汽车、飞机、米肠、辣年糕等的客户，不外乎就是我们自己的邻居，以及世界各国的外国人。如此，当国人的消费指数增加，我们称之为"内销景气良好"；反之，外国人购买韩国国内产品指数居高，我们则称之为"出口景气良好"。

国内景气的良好体质，靠的是国内景气与外销景气一样好。在国内小小的弹丸之地，整天对着4 700万人口，任凭你再怎么能言善道，十八般武艺样样精通，想致富，仍然难如登天！意思是说，只靠不错的国内景气，是无法造就出富有国家的。

外销景气亦同理可证，如果国内景气很差，却只顾外销景气的好坏，对于经济情况还是于事无补的。这就好比，春香的小吃店为了要赚得多，不但来店消费的顾客要多，连订外送的生意也要很好是一样的道理。

**①将来店消费的顾客分门别类**

内销，意即我们把国内销售情形加以分类，就能归纳出消费需求、投资需求、政府需求三大类。

• **消费需求**：是指一般民众的消费行为。是用来形容我们去买辣年糕、去吃米肠这些消费行为的专业用语。

• **投资需求**：是指企业的消费行为。为了盖工厂或建筑物，购买铁锤、铁钉这些工具的行为。

• **政府需求**：顾名思义，就是指政府的消费行为。

政府办理民众申请的户口簿，就得有列表机处理资料，制作宣传用的各种标语，就得用到笔，也就是用来形容政府购买行为的专业用语。

消费需求　　　　　投资需求　　　　　政府需求

**2** 将订外送的顾客分门别类

对韩国来说，外销是非常重要的。就像春香的小吃店生意，韩国占地面积小、人口少，如果不靠外销很难扩展版图。美国、日本、中国等这些"财大气粗"的国家，有超过1亿的人口。超过1亿人口的大环境，根本不需要靠外送也能让经济运转顺利，而且不需要看其他国家的脸色，也可以理直气壮地说话。而不用依赖外销，就不必像韩国把出口收入视之如命。

## 给经济打一针叫做"统一"的营养剂

韩国主张南北统一的理由，不是单纯只为了把分裂的民族合而为一。当然，南北原本就是一体的，理所当然应该合而为一。看在外国人的眼里，这更是令我们抬不起头来。同是生活在这小小土地上，却是尔虞我诈地只为个人利益红着眼。

诚如前面所提过的，不只是因为原是本家所以才需要统一。统一，能够使我们的经济跳跃至崭新的局面。

统一之后，南方4 700万人口与北方2 000万人口，不会永远都只停留在这个水平。经常听人说，"南男北女"。统一之后，或许情投意合的情侣档可能会增多，接着或许还会努力增产报国，生下一堆小孩。这么一来，人口要增加到1亿，也许只是时间的问题了。

只有人口会增加吗？绝对不是。到那个时候，国人就可以享受从釜山搭乘火车经过首尔和平壤，去到地理课本里念过的海参崴，还可以奔驰在西伯利亚那大片广阔的原野之上，甚至还长驱直入到达欧洲的火车之旅。

☆指针景气与体感景气

指针景气，是指将一定期间内的经济成长结果，以统计数值来呈现的景气指针；体感景气，是指企业与消费者对景气的知觉。大致上来说，国民对景气的知觉通常都比指针景气后知后觉。此外，还可能依照经济主体界、产业界、地方之间，还有收入阶层之间所感受到的程度或知觉的速度而有所差别。

# 从小吃店学会"需求函数"

　　采购经济类书籍的时候，我有个小小的习惯，内容若是有过多的算式或图表，通常都不会购买，更何况让人看了头昏眼花的就是经济这一门！要是再来个算式或测验，岂不让人厌烦至极？可是，在这世上就是有人不但不排斥，对数学更是情有独钟。还有一种很特别的情形就是，有些人用数字和他沟通，比起靠言语传递更容易取得共识。因此，在这个章节里可能需要有几个数学公式登场。写到这里，我仿佛看见读者们皱起双眉的苦闷表情。但是，认识这些公式对各位读者来说一定会受益匪浅。所以，我非常乐意接纳各位读者们小小的抱怨。

　　关于韩国商品的需求，是由消费需求、投资需求、政府需求、外销（从出口中扣除收入之后剩余的部分。外销构成总需求，正确地说，就是指纯外销，不过，为了让人们便于理解，简化叫做"外销"。为了想更深入了解的读者，我再附加说明如下——我们并非一定只买国货，企业的投资或政府的支出亦是。因此，将总需求更精确地表示，意即：总需求＝消费需求＋投资需求＋政府需求＋外销需求－进口。这时，将"外销－进口"，以另一种说法称之为"纯外销"。此外，总需求则可以归纳为"总需求＝消费需求＋投资需求＋政府需求＋纯外销"）需求等所构成，而将这样的环节用图表来表示如下：

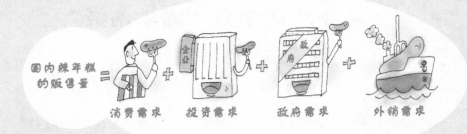

比方说，在韩国辣年糕的产量是500万韩元；而整合消费需求、投资需求、政府需求、外销需求的总贩售量，也就是总需求却只有100万韩元。这时候国内辣年糕店的总收入就只有100万而已，也就表示不管制作再多的辣年糕，如果卖不出去也是无补于事。我们把这样的情形，以数学算式来排列看看：

辣年糕的产量500万韩元＞辣年糕的总需求量100万韩元
国内辣年糕店的收入＝100万韩元

假设国内辣年糕的产量有500万韩元，而辣年糕的总需求量也是500万韩元，那么，国内辣年糕店的总收入就是500万韩元了。也就是说做多少就卖多少，是最棒的状况了。同样地，我们再把这样的情形排列成数学算式来看看：

辣年糕的产量500万韩元＝辣年糕的总需求量500万韩元
国内辣年糕店的收入＝500万韩元

接着，换成另一种情形。假设国内能够生产的辣年糕量是500万韩元，而总需求量却是600万韩元时，又会是怎么样的情形呢？

> 辣年糕的产量500万韩元＜辣年糕的总需求量600万韩元
> 国内辣年糕店的收入＝？

这时候可就会产生令人头痛的问题了。辣年糕的产量只有500万元，消费者却想购买600万元的辣年糕。

商品严重供应不足的情形之下，抢着购买的消费者却蜂拥而上，在这样的情况下，售价自然就会上涨了☆☆。看到这里或许有人会说："那就增加产量嘛"；再增添生产设备、多找几个好手艺的厨师并不像口头说说那么容易。当然，涨价对店家绝对有好处，不过，因为这样而导致顾客失望，可能使得他们转而光顾面年糕店（炒辣年糕里再加入生力面做成的另一种小吃）。如此可见，涨价所带来的效应未必是乐观的。

总之，辣年糕的产量与需求量如果都是500万，那就是最理想的状态了。

### ☆☆需求弹性

是指相对于商品价格的波动，需求量所做出的反应。当商品的价格上涨，需求量大幅度缩减的情形，称之为"弹性"；反之，即便商品价格上涨，其需求量却并无太大的变化，这样的情形则称之为"非弹性"。

# 用身体去感受景气的春·夏·秋·冬

## 经济的冬天

有景气好的时候，也有景气差的时候，就好比春、夏、秋、冬四季交替循环，景气也有无止尽的循环。景气差的情形，我们称之为＂停滞、萧条＂；相反地，景气好的时候，我们称之为＂复苏、繁荣＂。☆☆☆

首先，我们来想想景气差的情况。一旦景气衰退，许多企业就关门大吉，所到之处关门倒闭声不绝于耳（资产货币膨胀：例如股票或不动产，各种资产价格下跌的现象）。幸免于难的企业，深恐下一个就轮到自己，全体警戒，更有企业毫不留情地加以解雇认为对公司没有帮助的职员。如此一来，不但失业人口会增加，人民也会因为被减薪心里不安而减少开支，努力增加存款数字。商家则是为了清掉仓库里等着发霉的年糕和米肠，就会以降价的方式销售。

随之而起的，是全盘的物价一起往下掉。人民只顾着存钱，企业也不做投资，银行里的钱就会过剩。银行里有很多钱，却没有人来借用，自然而然的，利息就会调降。

把这种衰退的景气，写成数学算式表示如下：

可能产量＞消费需求＋投资需求＋政府需求＋外销需求

## 经济的春天

　　严冬里刺骨的冷风，时间到了自然会消弭，然后就等春光照大地。经济的变化亦如是。经过一段时间，坏日子的乌云就会飘散，看见明亮的太阳时，正是好景开始的前兆。我们可以超低的利息向银行借贷，然后，长期蜷缩在角落的企业，带着神采焕发的模样重新盖起工厂，卷土重来。新工厂到处林立，新的产业重新营运，不用说工作机会自然就多了。

　　情况至此，政府就不能袖手旁观。早先凯恩斯说过，国内情况艰难的时候，政府应该一马当先处理问题。本来只是默不作声，尽做些帮民众处理身份证事宜等诸如这些琐事的政府，开始兴建水坝、铺路了。政府不像民间企业，牵一发则动全身，制造出来的工作机会更多。

　　工作机会一多，人民的收入就可能跟着增加，想当然的，消费行为就会增加了。一旦消费行为增加，企业也就更起劲地做出更多辣年糕和米肠。国内经济的春天终于来了！套上专业术语就是说〝复苏〞来临了。也就是指〝景气好转了〞，以较文学的说法是〝经济的春天〞。

　　以下就将韩国经济的春天，以数学公式来表达如下：

可能产量＝消费需求＋投资需求＋政府需求＋外销需求

## 经济的夏天

　　不过，可不能永远都是春天。好比天气温暖过头了就可能令人炽烈难耐；经济太好，也可能会像紫外线把人晒伤一般，要是走霉运，很可能演变成癌症这种一发不可收拾的情况。但为什么会发生这样的情形？

趁着好转的景气，企业为了设立工厂或公司，会开始前仆后继地向银行借贷。而利息，也就随着争先恐后借贷的企业水涨船高。此外，一旦许多新工厂开始增产辣年糕，可能会引发用来制作年糕的稻米供应不足的局面，然后也会影响到做寿司的海苔短缺。刚开始的时候，稻米售价、海苔售价会显著调涨，接着年糕售价、寿司售价也会跟着涨价，最后所有物价就会形成跳跃式暴涨。

假使这样的情形持续不下，由于利息与原料价格的暴涨，那些盲目设立工厂或增产商品的企业体，可能会面临资金短缺的窘境。万一这些企业同时关门大吉的话，会发生什么样的情形呢？借贷的银行就要不到钱，要不到钱则银行只能倒闭。如果四处都是倒闭的公司、都是经营不善的银行，国家就会一夕之间乱成一团。

因此，景气太好导致问题发生之前，政府会事先做好预防以免造成景气硬着陆（景气"硬着陆"是指，景气急速变坏的现象；相反的，景气"软着陆"是指，景气的变化就像飞机缓缓降落，由好景气降温，慢慢变成坏景气的现象。假如突然由好景气变成坏景气，那么可能会暴增失业人口、拒绝兑现的企业等现象。为了预防产生这样的问题，政府于是推动各种景气降温的措施，即称之为"景气软着陆政策"）。引导企业别做过度的投资，发公文给银行别太轻易借钱出去等。

在此，将经济的夏天以数学公式表达如下：

可能产量＜消费需求＋投资需求＋政府需求＋外销需求

# 经济的秋天

有下坡，也就有上坡；有好时机，也一定有承受考验的时候；好景气运转到一定的程度，它会随着时间慢慢平淡。这是由于企业因物价暴涨而难以预估前景，开始逐渐减少投资，自发性的小心谨慎的结果。国民也趁着银行利息高，开始减少消费、增加储蓄。如此一来，消费行为减少，企业体的销售量就会慢慢减少，最后，经济从此由秋天走进冬天，经济循环又重新开始运行。

有下坡，也就有上坡；有好时机，也有受考验的时候。

### ☆☆☆通货膨胀与通货紧缩

通货膨胀（Inflation）指的是物价急速上升，而通货紧缩（Deflation）则是指物价急速下滑的现象。如果说通货膨胀代表的是随物价上升而产生的景气过热现象；那么，通货紧缩可以说是指物价下滑、消费减少的景气趋缓趋势了。

# 2 在小吃店遇见有钱人的故事

 想致富，就去学着了解经济的脉动

钱，它永远都不肯歇下来。

有时候会在股市露露脸，为世上的人们照耀光明；或是在不动产市场出现，为有福气的富人家祝福。

想要致富，就必须观察金钱的脉动。然后，在"钱"这个东西可能去的地方撒下天罗地网，耐心地执行潜伏任务。如果你不打算"咚、咚、咚"敲锣打鼓，潜伏任务是必须的。即便你因为听到有人靠不动产成了暴发户而嫉妒到肚子痛、牙也疼，你也只能在吞下一颗阿司匹林之后，耐着性子撑过去。因为，要是冲动地跳进为时已晚的不动产市场，纵身一跃的瞬间，价格会无情的暴跌是理所当然的真理。

股票市场也是一样的！你绝对不要因为听见到处都有人靠股票赚了大钱而惋惜；因为，我们听过的跳进为时已晚的股市，却身陷败家窘境之人不胜枚举。

那么，该怎么做才能捷足先登搭上股市，才能比别人快一步抓住不动产市场的先机？这个问题很简单，只要分析历年来的股票市场和不动产市场，就能从中学到预测未来的智能。据说，股市的运作比景气早6个月左右。

简单地说，景气差的时候，股价就会上升。因为，有些人预估景气会好转而买股票。

通常这样的情形，正是证券公司的股票或建筑公司的股价上涨的时机。原因就在于，一旦经济好转、人们开始投资股票，那么，证券公司就能从中得到更多利益。此外，政府为了挽救经济，于是忙不迭地到处铺路、兴建水坝的同时，也就是建筑公司的利益高涨的时候。待经济好转至一定的程度，股价就会伺机而动，一飞冲天。不过可不是随便阿猫阿狗的股票都会有涨势，而是可以称做韩国经济的救世主，与从事外销有关的公司股价才是最有行情的。

然而，活得越久，新鲜事越多。经济仍然保持不错的态势，但是股价竟然开始往下跌。这是怎么一回事？那是因为有一些人有先见之明，预测到经济就要面临冬天，所以眼明手快抛售股票。然而，喜欢放马后炮的人，会在这时候跳进股市。

听过许多人因股票而大赚暴利，内心深受煎熬，虎视眈眈等机会，这才跳进股市的呢！这些人以为，经济环境没有变坏的情形之下，股价只是短暂"出走"，很快就会再度上涨。可是，股价从来不如这些人预期般上涨过。

那么，究竟要怎么做才能靠股市赚钱？趁着金融机构或建筑业的股票上涨的时候跳进股市大干一场？或者，看到外销有关的公司股价涨得凶就狠狠地买它几张？

各位读者，这两种绝对都不是很好的做法。应该是，别人都不买的时候，就是你该买股票的时机。平时用心多看、多注意财经新闻，掌握景气的流向。大家都因景气倾斜而议论纷纷的时候，你就该准备跟进股市；一旦看到市场上的金钱过剩，也就是你该从股市中脱身的时候。

那么不动产又如何？大体上景气好转开始经过很长一段时间，不动产才会开始苏醒。原因是，不动产动辄要花大笔的钱，景气好，赚了钱，才能买房子、买地。不同于股票，即便在景气黯淡的时候，不动产仍会上扬相当长的时间。因为就算没有适合的赚钱门路，不动产至少还能捞一些土地和房子，算是个安全的投资标的。

不论靠投资股市赚钱、或由不动产投资累积金钱，如果你不在乎景气的动向就不可能致富。如果，你并不以"后知后觉"为目标，那就应该多和经济日报约会，多和景气报道热恋，正确判断景气并且加以预测，你就能看见致富的康庄大道！

第三篇

# 嗅觉危机，挥别消费

我不知道该如何贴切形容信用卡？或许，可以比喻为"麻药"吧！
医生可以用它治疗病人，但是，也可能致人于死。

# 出门"找"消费

在前一章节我们提到，购买商品的人大致上可以归纳为"消费需求"、"投资需求"、"政府需求"以及"外销需求"等不同层面，其中消费需求占据总需求的60%以上。

万一国人陷入无法丰衣足食的窘境，企业则很可能因为无法将商品销售出去而关门大吉。所以，我们平日习以为常地到便利商店、超级市场、百货公司等地方消费的举动，其实正是爱国、支撑国内经济的有力支柱。

所有满足我们生活所需的消费用品，以专业的说法是"消耗品"☆。这类的消耗品，可以分为"耐久消耗品"和"非耐久消耗品"两大类。

一次购买，长久使用

一次购买，用完即丢或吃进肚子里

耐久消耗品

非耐久消耗品

耐久消耗品如冰箱、电视、住宅等，一次购买就能长久使用的货品。

　　而非耐久消耗品如牙签、香烟、食物等，一次购买用完即丢、或是吃进我们肚子里的东西。

☆消耗品与生产物质

　　消耗品：是指为满足个人欲求而进行消耗的货品。举例来说，像是面包、辣年糕、书籍这类东西，以较专业的形容词表达，就是对人们有用的各种物品。

　　生产物质：是指企业为了从事生产商品而所需的物质，一般性的说法是"资本"。

# 是什么引你打开荷包？

构成总需求的所有项目当中，占据60％的是消费需求。即便外销状况良好、投资情形增加，如果消费行为不增加，经济也就很难改善。很久以前，凶神恶煞似的一副就要把天下吞进肚里的日本，在迈入1990年之际一蹶不振的重要原因之一，正是消费需求严重减少的关系。

本以为能保障一辈子的企业竟开始解雇员工，看起来可以永久持续下去的日本经济也出现萧条的窘局，将这些情况看在眼里的人民于是乎开始抓紧了荷包，奉行"节约再节约"的守则。结果，不但消费缩减，随着消费缩减，企业也就减少产量，更开始减少投资。日本政府想尽了各种办法企图让过去荣耀再现，但是国人始终都将荷包看得死紧，经济仍然困顿在停滞的泥沼无从脱身。

韩国的情况其实也好不到哪儿去。外销生意虽然不错，可是国人不愿意打开荷包来消费，经济平衡依然摇摇欲坠。年轻一辈大多是被债务套上了脚镣，父母亲则是为忙着替子女收拾烂摊子，荷包只得紧紧拉上链子，丝毫不肯松懈。

## 丰厚的薪水袋

我们出门去小吃店吃好东西，到电影院看一场期待已久的片子，这些也都属于消费需求。那决定这些消费需求的因素有哪些？最根本的因素就是我们的嘴巴和眼睛。当我们的嘴巴想品尝美味小吃的时候，大脑无法抵抗想吃的冲动，眼睛想看场好电影的时候，脚步也会毫无抵抗能力地自动走进电影院。但是，就算再多么想看电影，美食的香味扼杀视觉和嗅觉，如果口袋没有"Money、Money"，这一切的向往都只能是图片里的风情。

因此，消费不是由生理水平所决定，而是经济上的因素，即根据收入决定的。不论是在工厂努力工作所赚得的钱，或是靠股票投资成功赚来的钱，再不然靠门道或六合彩的恩泽送进口袋的钱。总之，没有钱，就算快饿死也根本没有消费的能力。

在这里想提醒各位一件很重要的事，即使我们赚了100万，但是实际上可以拿去消费的部分，可不是全部100万。我们要缴税给政府，偶尔还得去付掉不小心在马路上当众"越线"的违规交通罚单。诸如此类，扣除掉这各种税金之后剩余的部分，才是可以用来消费的收入，意即可支配收入。

## 积沙成塔而成的财产

社会上有些人没有上班却挥霍无度。这类的人，他们的消费能力来自于资产☆☆。就算没有工作赚钱，只要有够多的财产，也就能爱怎么花就怎么花。以经济学上专业的术语来说，称之为财产。**财产可分为实物财产与金融财产。实物财产是指土地、住宅，或藏在衣橱深处的黄金等这些东西；金融财产则是指银行存款，或者是股票、债券。**

话又说回来，关于"消费"是由收入来决定，这一点倒是让人容易理解，但是对于一般民众而言，靠股票或不动产来增加消费行为是难以接受的。不过，不论是咬着金汤匙出生、受赠遗产的有钱人家的子女，或是一般人民，财产都是决定消费能力的一个非常重要的因素。

好比说吧！你手头上有几张三星电子股票。假如你是以一股10万左右买进了股票，经过3～4个月的时间一跃涨到数百万，你一定高兴得连自己姓什么都给忘了。接着，你开始不自觉地成天置身在一夕致富的幻境里头，为了向亲朋好友夸耀自己投资股票的本事，迫不及待地呼朋引伴大宴宾客。

当不动产暴涨的时候，也会出现类似这样的现象。举例来说，你用退休金买下一栋房子开始当起房东。突然有一天，因为不动产暴涨让你糊里糊涂地成了暴发户，这时候你可就不能继续装得像没事人一样。身边的朋友会开始有意无意地要你请客，而你也就因为抵不过周遭的眼光而增加了消费行为。然而毫无预警的不动产突然在一夕之间狂跌，你也就从天堂跌到地上，被打回了原形。就是这样，财产多半影响着消费能力的增减。

## 不断反复爬上爬下的利息

**影响消费能力的要素，除了收入之外，还有银行的利息。**

假设银行的利息从5％上涨到10％，这时候大家就会开始烦恼，究竟该把它存起来，还是去买东西？正左右为难的当头，银行又再度将利息调涨到50％的时候，大家的反应绝对是义无反顾地把钱全都存到户头里去。也就是说，银行调涨利息，则存钱的人就会增加；存款一多，消费能力就会降低。

## 寄望未来

**对未来寄予厚望，其实也同样对消费能力造成莫大的影响力。** 往后的景气看似不会有多大好转的迹象，或是先生从小公司离职然后打算〝就家〞（找不到工作就投靠娘家，是讽刺目前社会就职困难的新世代语言），就更不可能有多余的钱可以从事消费行为。因为，你必须未雨绸缪、省吃俭用。

〝金牛银行〞活期储蓄

这么一来，因为基于对不可知的未来不安的心态，随着缩减消费行为，总需求也将跟着缩水。而总需求减少了，其企业也就只好减少产量。缩减了产量，劳工的薪资也会跟着缩水，甚至还得视情况解雇员工。总归一句话，那就是经济衰退了！

☆☆资产

　　是土地、黄金、工厂等财产的统称。在会计学的理论中，又将资产分为流动资产与固定资产。流动资产是指像存款一样，需要的时候随时都能兑现的资产；而固定资产则是指像土地、建筑物一样，难以立刻兑换成现金的资产。

# "消费函数" 一点也不可怕

听到 "函数" 这个名词，可能有好些人吓得立刻躲到桌底下，全身发抖、牙齿直打哆嗦。不过，别太害怕！事实上消费函数并不是什么可怕的家伙。消费函数，这家伙的长相其实是这样子的：

消费＝影响力（收入、财产、利息、对于未来的期望等等）

现在，我们先来分析一下上面的公式，也就是说，"消费函数"是由收入、财产、利息，以及对未来的期望和其他要素影响而决定的。结论就是，"消费函数"是为了找出更多影响"消费"的各种要素，更精确推测"消费"而存在的法则。

好的，那么，现在我们把上一个公式表达得更专业一些：

C＝f（Yd，W，r，其他）
C＝消费，Yd＝收入，W＝财产，r＝利率

其实，各位并非一定要了解这东西。就算我们不认识"它"，地球依旧转动，日子照样过。而在往后可能会碰到的其他算式，其实也是大同小异的。

# 现身吧！凯恩斯的"消费函数"

凯恩斯崛起前的经济学家们，一致认为消费受利息的影响力。不过，这一次凯恩斯仍是往常一贯的作风，高喊"错了！"然后自信十足地主张自己的消费函数。

根据凯恩斯的说法，对消费造成最大影响力的要素是"收入"，而人们并没有将所有的收入都用在消费上面。举个例子，假如收入增加了1块钱，那么人们的反应是只消费0.7元钱，其余的0.3元就存进银行里。而这收入1块钱当中，实际消费的0.7元就是"边际消费倾向"☆☆☆。

另一方面，"绝对消费"亦是消费的一部分。不管我们的收入是10块还是0块，总之都得吃饭过活。万一没有收入来源，即使向人伸手借钱，都要想办法填饱肚子。像这个样子，为了求得生存而用尽方法维持最基本的消费，就是"绝对消费"。

把这种情形套上凯恩斯的〝消费函数〞公式，就成了以下的面貌：

$$C = a + by$$

（a：绝对消费，　b：边际消费倾向，y：收入）

举个更具体的例子，说明如下：

$$C = 30\ 000块 + 0.7y$$

例如绝对消费金额是30 000块，而月薪是350 000块，那么，就是消费了30 000块 + (0.7 × 350 000) = 275 000。若是退休而失去收入，则消费额就是30 000块 + (0.7 × 0) = 30 000。

### ☆☆☆边际消费倾向

以经济学的角度来说，"边际"亦可解释为"追加"一词。也就是说，边际消费倾向是追加性质的消费倾向。所谓的边际消费倾向是0.7，意思是指多出1块钱的收入时，消费行为也就呈现追加0.7块的倾向。

# 全民增加消费总动员！

即便消费需求占总需求最大的比重，但是，消费需求的重要性并没有因此而大幅显现。原因就在于消费需求不会有太大的变动。消费需求并不会因为经济良好就大量增加，也不会因为经济萧条而出现极度衰弱的现象。

因此，当经济状态萧条的时候，齐心协力努力经营国家经济；当经济状态良好的时候，以谨慎节制的态度避免经济过热，这些举动也都是消费需求的另一种功能。如同小时候大姊姊将自己所有的东西都让给弟妹一般，消费需求就是扮演着这样的角色。

可是却很少有人注意到消费需求这个层面。消费需求好像感到委屈似的，在过去发生"亚洲金融危机"☆☆☆☆后的几年，似乎想彰显自己的重要性，华丽地登上舞台全面展开行动。

回头想想，正值"亚洲金融危机"发生后的那几年，韩国的经济困境退无可退。消费需求、投资需求、政府需求、外销需求当中，没有哪一个部分让人看得到生机，更甭提企业的投资了。整个大环境陷在撞歪鼻子、断了腿，生死不明的局面，所以没有人有胆量去做任何投资。政府也是同样的心态，为了收拾"亚洲金融危机"勒紧裤带，把荷包看得紧紧的，外销更是一片惨淡。因为当时不只韩国，全球都深陷经济危机，所以，外销很难立稳脚步。

这时候惟一能够依赖的"大姊"，就只有消费需求了。国人也都在巨大的失业困顿中挣扎，因此，想提高消费需求以拯救经济危机的构想，并没有如想像中那么容易实施。不过，政府还是展开了通过振作消费需求的行动，试图拯救危机——结果大获全胜。当然，或多或少都会产生一些后遗症，可是依当时的情形来看，绝对足以让大家相信这么做是惟一的选择。

## 死守消费性金融贷款

增加消费需求最代表性的方法，即是消费性金融贷款。顾名思义，就是指通融给消费者运用的钱。意即当消费者想吃小吃、想吃米肠或鸡屁股却烦恼没钱的当口，借给消费者的钱就叫消费性金融贷款。

最能代表消费性金融贷款的商品有"信用贷款"和"分期金融贷款"两种。信用贷款是指不需担保就能借贷的钱，只要申请就不需任何担保，银行就会借给消费者。可能有人会认为，这年头哪有不要任何担保或保证人就借钱给人家的疯子？不过，想想现今炙手可热的信用卡或预借现金，应该就不难理解了。简单地说，预借现金就是信用卡发卡银行不要求任何担保品就借钱给消费者。

许多挂上"S基金"、"H基金"头衔的公司所发行的现金卡，就是信用贷款最恰当的例子。只要是无不良记录的人都能申请这种卡，只要手上有了这张卡，就不需要提供担保品给银行，直接利用提款机借钱。

分期金融贷款，以传统的说法就是指"月付"。当消费者购买高价位的物品，比如说像钻戒、健身中心的会员卡等这种相当昂贵的高价品，分期公司会替消费者付这笔账，而消费者必须按月摊还利息和本金给提供分期金融的公司。如信用卡"先消费，后付款"，分几个月摊还费用就是最具代表性的例子。

现在我们再回头来想想，利用信用贷款或分期金融贷款借贷给消费者，这会造成什么样的情形呢？当然，这么做自然就会提升消费需求喽！即便口袋空空，照样能消费；没有财产也不影响消费能力。因此消费能力会提升，是理所当然的事情。

陷入"亚洲金融危机"之后的那几年，韩国为了挽救经济甚至到了可以说是过火的程度，不分条件发行信用卡，即是消费性金融贷款所发挥的力量，幸好这个政策如愿挽救了经济层面。然而，令人遗憾的是却造成了信用不良者大量产生的新的社会问题。

我不知道该如何贴切形容信用卡？或许可以比喻为"麻药"吧！医生可以用它治疗病人，但是也可能致人于死。就好像刀子一样，可以是医生用来救人的工具，但是，万一使用不当这就成了杀人的凶器。

## 减少税金吧！

在众多增加消费的方法当中，减少"税金"也是其中之一。从征收35 000元税金的情形缩减成17 500元的话，毫无疑问地，消费需求也就得跟着增加。事实上，碰到景气差的时候，政府也会适时做调降课税的可爱举动。

最具代表性的就是"特别消费税"。特别消费税，顾名思义，即是指附加在特别消费品上的税金；于奢侈品附加重税，是为了诱导健康的消费理念而存在的。原本这种税金名目初次问世的时候，只针对奢侈品课税；然而随着收入增加，近来渐渐开始附加在奢侈品以外的物品上。举例来说，像汽车、彩色电视机、冰箱、洗衣机等家电用品，甚至是大补汤、咖啡等早已成了日常生活必需品的项目，目前仍然还是附加了特别消费税。

无论如何，如果能够稍稍减少这种特别消费税，则商品的价格会跟着下降。商品的价格下降之余，大家也就能比较放心地去购买一直买不下手的物品，如此一来，消费也就会增加了。

此外，从上班族的月薪里扣除的种种税如果也能减少的话，大家的收入就能多留一些，相对地，也就能提高消费能力了。

但即便减少了课税，也不能保证需求量一定就会增加。如同凯恩斯所说，如果收入增加了100块，人们并不是将100块全都消费掉，而是只用去其中的一部分而已。假设由于政府减税而人民的收入增加了1万块，这时"边际消费倾向"是0.6，则增加的收入当中用掉6 000块，其余的4 000块就可以存在银行。

☆☆☆☆韩国摆脱"亚洲金融危机"的战略

亚洲金融危机发生时期，韩国政府所采取的摆脱危机战略中最具代表性的方式就是"信用卡"。当时，政府为了增加消费，甚至可以说是以极夸张的程度发行信用卡。

# 3 在小吃店遇见有钱人的故事

 建立正确的消费文化

　　许多人为了致富绞尽脑汁勇往直前。可是，千辛万苦成功致富之后，究竟该怎么做计划却是很少有人会看重的问题。也就是说，如愿以偿的人只是一味地想着有钱就可以过财大气粗的日子，至于正确用钱的方法，可就没有人真正认真地去思考过。

　　问题就在这里，如果不懂正确用钱的方法，就难以避免问题的发生。最好的例子是那些所谓的"暴发户"。什么是暴发户？就是指有些人追着钱到处跑，有一天终于变成有钱人了，但是，却因为不懂得正确用钱的观念，落得变成钱的奴隶。若是不管别人怎么想，"只要我喜欢有什么不可以"这种花钱的风格，有一天一定会受到钱的复仇！这种人只有在成了一贫如洗的穷光蛋之后，才会觉悟到自己的愚蠢。

　　不懂正确用钱的方法而受副作用之苦的，可不是只有暴发户。现今社会上仍然造成不少问题的信用卡，追根究底也就是"消费"，意即那些没有学会正确用钱的人所引起的。在这高捧"有钱人"当神明看待的社会风气中，碰到像信用卡这种任人随心所欲印钞票的机器，大家都兴高采烈当是从天而降的财富，俨然一副有钱人的态势，花钱花到手软。假如这些人一开始就知道正确花钱的方法，也就不会导致这些问题的产生。

　　一般人都认为，等到有钱了再去想正确花钱的方法才有意义，其实不然，在你成为有钱人之前先想好更重要。只要花钱方式正确，自然就能聚集钱财，实现有钱人这个梦想就指日可待了。

　　正确用钱最好的方法，就是清楚区分"必需"和"喜欢"的差别。我们平时的花费，其实大多数都是花在非必要的消费；也就是说，用在满足单纯的欲望上面。照这种花钱的方式，是不可能致富的。为了满足欲望而花钱的行为，就像是饮鸩止渴。为满足欲望而消费的行为，同理可证。

　　真正懂得区分必需和欲望，其实并不容易。大部分的人都会自我妥协，说服自己去想那些想吃的、想买的并不是纯粹的欲望，而是必需。不过，每当花钱的时候若能多考量一下必需花费的和满足纯粹欲望的花费，自己都会不自觉地学会区分需要和欲求的正确消费概念，多做能使自己成为有钱人的消费行为。

第四篇

# 勇敢"品尝"投资美味！

凯恩斯认为，决定投资的重点是企业家的动物本能。

随时随地，全身感观器官为嗅到钱的味道而高度警戒，

一旦捕捉到机会，就有如狮子或老虎扑向猎物般狩猎"钱"。

# 买个希望会更好

## 为了更美好的明天，今天依然勇往直前

一般讲到"投资"，大家的反应可能是想到股票或不动产。可是经济学上所说的投资，在意义上却有些不同。就经济学的观点来说，好比像盖工厂、购买新的生产工具才是所谓的投资。例如为了做红豆饼生意而购买手推车，这就是经济学所指的投资。

像这样的投资，不是只为了满足眼前的欲望，而是期待未来收获的一种经济活动。举个例子，一家生产年糕的公司做了一份市场调查，这份调查结果显示，可以预测未来5年市场上年糕的销售量会是目前的倍数。为了5年后能够卖出更多的年糕，那么工厂势必得添购更多的机器设备。而这添购生产器具的举动就叫做"投资"，花费在这上头的钱就叫"投资成本"。

这种投资性质与消费有很大的不同。不论景气是好是坏，消费并不会有太大的变化。是开心或难过都一如往常的神态，以仁慈且真诚的笑容照顾弟妹，像个老大姊似的存在着，这就是消费。

然而，投资就可以比较刚强些。遇到乐观看待未来的企业，它就会一飞冲天；而当未来呈现不确定的状态，它则会一副"没有过那回事"似的一路往下掉。说得好听就是有胆量，说得难听一点就是3分钟热度。正是因为这种3分钟热度的性质，人们也才认为投资是促成景气时好时坏、不断循环的最大主因。有鉴于此，投资也就成了被经济学者们24小时全程监督的主要角色。

## 遇见各种"投资"

投资有许多种工具，在这里我们主要讨论设备投资、建设投资、库存投资、诱导投资、独立投资五类。

### ❶ 设备投资＋建设投资＋库存投资

设备投资，顾名思义就是为了投资而购买各种机械设备。简单地说，购买生产年糕的机器或铁锤，就是所谓的设备投资；建设投资则是指盖工厂、铺路；库存投资就是指库存，也就是以专业术语表示没有卖完的红豆饼。

我在库存后面附加了投资一词，其实是有用意的。做生意，没办法只做刚好足够的数量。为了应对紧急状况，所以总是需要多准备几个备用，为了那些店里打烊之后才来买红豆饼的客人留下一些，也就是为了让顾客感受温暖！

### ❷ 诱导性投资＋独立投资

诱导性投资是指随着国民收入增加的投资。举例来说，假设每天一台机器能够生产100个红豆饼。嘿！运气还不错，每一天刚好把100个红豆饼都卖完了，然而景气开始好转了起来，国民收入跟着增加了，接着想买高蛋白营养食品红豆饼的人就更多了。如果这样的趋势一直持续下去，往后一天大概可以卖出120个红豆饼也是有可能的。

这时，红豆饼店老板为了乘胜追击，希望一天能够再多卖20个红豆饼，于是就又添购了一台新的机器，这种情形就叫诱导性投资。

至于独立投资，即是无关乎收入而随时增加的投资。好比说你发明了利用〝尿液〞提炼石油，利用〝粪便〞生产黄金的新技术。如果任这种新奇的技术荒废了，会是所有人民的损失。若是真能实现这种技术，那么以后厕所就不再是人人掩鼻匆匆而过的不受欢迎场所，而是摇身一变成为全国人民的恩泽之地，是上帝的祝福！那么现在为了把厕所变成恩泽之地，必须兴建工厂、设置机器，这就是所谓的独立投资。

同样都是兴建工厂、购买设备，因投资原因的不同而分为诱导性投资与独立投资。

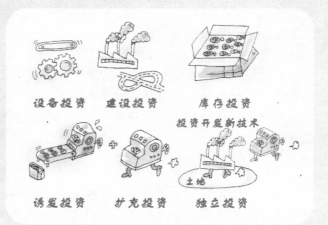

设备投资　建设投资　库存投资

投资开发新技术

土地

诱发投资　扩充投资　独立投资

# 攫取投资心态的因素

"投资"在总需求中所占比例并不高，了不起顶多20％再多一些。可是，以投资所占的小小比例来讲，它所蒙受的关心和疼爱简直可以说是有过之而无不及。投资之所以能够受到如此的爱戴，其实有很多原因。虽然它是导致景气变动的"主要嫌疑犯"这一点，亦是原因之一，但更重要的因素另有其他。

为人子女孝顺父母，是理所当然应该做的。不过，我们孝顺父母并不是只为这一单纯的理由；而是为了给我们的子女作为榜样，希望往后也能孝顺自己。常听人说起，大部分的子女绝对不会按照父母亲的期望长大。据说子女不是顺着父母亲的意思走，而是随父母亲的行事态度有样学样。父母亲爱看书，子女也会喜欢阅读；父母亲孝敬上一辈，年轻的后代也会懂得敬老。

投资也是这样的道理。设立新工厂、采购新机器，这么一来，盖工厂的建设公司以及机器工厂的职员收入就会增加。

可是投资本身的角色不只如此，它为我们的将来预留了有如子女孝顺般的喜悦。这句话的意思是说，如果因为公司的情况不顺利造成本身不愿意做投资，这样的话公司也就没有花钱的需要，短期看来或许反而是好事。但是当经济逐渐好转，消费者开始需求新商品的时候，公司疏于投资的结果，无法顺应时事生产出新商品来，然后只能抱着一堆过季商品与对方的新鲜商品挥汗竞争。结果，因为无力应和高品位的消费市场需求而黯然退场。

**投资，它不是因为构成立即性的总需求才重要，而是因为一个个看起来不起眼的投资，假以时日会是国内经济潜力的根基，所以才如此尊贵。**

## 往后能赚多少——预期收益

究竟该添购新机器，还是再盖个新的工厂？预期收益☆ 是决定这些动作的主要因素。看准能有利润就前进，全速进攻！若利润不足就得放弃。花了100元新添了生产年糕的机器，为了1年内回收1 000元的利润，理所当然要苦一阵子。可是，如果预估只能回收50元的利润，那当然就得喊停。要是自己认命没得赚，还是拼命做，很可能赔了夫人又折兵。

那么仔细盘算了一下，花100元投资买新机器生产年糕，1年内似乎就能回收110元，该不该放手去做？在这里提示一下，这种机器构造特殊，顶多用个1年就得汰旧换新了。这下可能回收的部分只剩下10元，所以更令人难以下决定。经济学家们早就猜想到辣年糕摊贩会碰到这种困惑，所以创造了一种叫做"现值法"公式。

利用这种公式能够预算出1年后的110元是现在的多少钱。这真是一个好人，以下就是它"和蔼可亲"的公式：

$$\frac{未来的钱}{（1+银行利息）×期限}＝已兑现的钱$$

举个例吧！假设目前的银行利息是10％，那么1年之后110元的"现值"就是110元÷[（1＋0.1）×1年]＝100元。若目前的银行利息是20％，那么，1年后110元的"现值"是110元÷[（1＋0.2）×1年]＝91.6元。

如果懂得运用现值法，就能轻松决定是否要买1年后能赚进100元的机器。如果目前的银行利息是10％，那么做不做投资都无所谓。因为1年后的110元等值于现在的100。如果目前的银行利息是20％，不可贸然投资。乍看来会让人误以为好像能赚进110元的利润，可是，未来的110元它的价值不到今天的92元，还亏损了10元。照常理判断，这么想是一点也没错。将100元乖乖地存在银行，那么1年后就有120元，根本用不着欠110元来买机器。

现值法不但左右企业投资的决定，而且，只要是与钱有关的场合它就会在那里。尤其以逻辑观念预测股价时非常有用，所以如果有打算在股市扬名立万的话，最好现在就认识它。

## 利息决定一切

决定投资的条件当中，利息是其中之一。要是能够正确预测想要赚多少钱，根本不用想太多，只要决定就好。但是，问题就在于无法正确得知究竟能赚多少钱，大家才烦恼是该先吃苦、还是喊停？

利息高，那么，借别人的钱来做投资的企业就会担心受怕。如果赚不到预期中的利润，很可能无法还债。

因此若利息过高，站在企业的立场只好减少投资了；另一方面，利息若偏低，相对地，企业的负担就会减少。这么一来，对于原本因利息高而兴趣缺缺的事业，这下胃口不错，增加投资的可能性就高了。

看到这里，如果就这样跳到下一个章节，不免令人怅然若失。不知道各位读者是否已经猜到了，情节到这里，气氛上应该是＂凯恩斯＂出来说几句话了。

凯恩斯之前的经济学家们个都认为，利息对于决定投资造成重大的影响。不过，关于这一点凯恩斯也有自己独到的见解，果不其然，这一次他仍旧高喊：＂我有意见！＂当大家都Say＂Yes＂，却偏说＂No＂的人！听到大家都说＂不＂，却偏说＂是＂的人！我们的凯恩斯就是这么与众不同。

凯恩斯认为，决定投资的重点是企业家的动物本能。随时随地，全身感觉器官为嗅到钱的味道而高度警戒，一旦捕捉到机会，就有如狮子或老虎扑向猎物般狩猎＂钱＂。

凯恩斯主张的这种论点，乍听之下并没有多大的说服力，不过从现实层面来看有几分道理。事实上，任谁都不能否认促使国内经济能够提升到今天这种局面的重要条件之一，正是企业家的执著以及动物的本能。此外，维持了近10年的零利率，今天企业投资步上正常轨道的日本，也同样为凯恩斯的主张增强力道。

☆**成本-收益分析**（Cost—benefit Analysis）

　　判断该不该进行大规模投资，或比较替代方案时采用的分析方法。预估所做的投资可能带来的获利以及因而产生的支出，比较利益大小和支出大小，来判断比较投资的评价或各种替代方案之间的比较评价。

# 从故事里学"投资函数"

我们已经提过"消费函数"，接下来，和各位谈谈"投资函数"☆☆。

投资函数是利用一种特定的函数算式，来解释投资大小是根据什么样的条件被决定。

> 投资函数＝被（预期收益、利息、动物本能、其他）
> 所影响的意义

将以上的算式加以解析是这样子的：投资代表着被预期收益、利息、动物本能以及其他条件的影响之下被决定的意义。专家之所以把这么单纯而明摆着的原理大费周章地套上函数，说穿了就是为了能多找出几个影响投资的要素，以便做更准确的预期而使出的浑身解数。

我们来看看这个算式较专业的写法：

> I＝f（e，r，动物本能，其他）
> I：投资函数，e：预期收益，r：利息

好比说，独立投资100万，如果随收入而变动的诱导投资是0.01，那么，它的投资函数就像以下的说明。

$$I = 100 + 0.01Y \quad （Y是单位数）$$

诚如前一页中已经提过，我们并不需要了解这算式里所有的东西。不过如果花一些宝贵的时间，将这些东西学起来好好地先放在脑海一隅，这会成为自己将来很不错的投资。"我要让世上所有的人都成为有钱人"、"我一定要为国争取诺贝尔经济学奖"，对于心里怀有这种远大志向的人，前面提到的这种算式会很有帮助。只要是有社会经验的人都知道，平时就多注意这些专业性的知识，脑海里有这种认知，将来对自己的帮助会很大。

我之所以会这样执意说明这些算式的原因是，许多有关经济学专门的书籍里有许多诸如此类的算式。与其硬着头皮盲目乱撞，还不如为不时之需做个准备，对于很多方面都比较有利。

### ☆☆消费函数与投资函数的使用

除了消费函数和投资函数，只要把多种影响经济的条件写成函数，然后输入计算机，就能预先计算下一个年度的GDP和GNP。各个有关经济机构的预测都是这样算出来的。

# 钱潮，操控投资界

　　企业需要钱来发展规模。这时根据募集资金的方式，可分为"内部融资"与"外部融资"。接着，来看看两者之间的差异性：

## 出自自己口袋的钱——内部融资

　　内部融资，顾名思义就是在企业内部募集的资金。企业做生意，若有足够的利润就会把这些钱拿去付员工薪资，还可以去还债。除去这些还有剩余的话，不是深锁在公司的保险箱，就是拿到银行的保险库好好地保管着。为了将来可能的机会，事先储备起来。像这样，企业把自己赚来的钱作为投资资金，这就叫"内部融资"。

## 出自别人口袋的钱——外部融资

　　假如所有的企业都能靠自己的钱做投资，那当然再好不过了，但事实上可能性不高。新盖一座工厂动辄上千亿到数以万亿计的钱，平时

内部融资

外部融资

就有这么多钱的企业并不多。这时企业就会向银行借贷，或发行公司股票☆☆☆、公司债券，募集投资需要的资金。就像这样，并不是企业自己的钱，而是对外募集而来的金融资金，就叫"外部融资"。

## 1 投资人不明的证书——股票

假设经历了千辛万苦终于开发出用尿液提炼石油、用粪便冶炼黄金这种尖端技术，必须设立可以发挥这种技术提炼石油和制造黄金的工厂。这项工程需要庞大的资金，有什么方法能够筹措这笔需要的资金？

这个时候，跑到银行办贷款是愚蠢的行为。除非银行经理脑袋有问题，不然不可能有哪一家银行会相信用尿液提炼石油、用粪便冶炼黄金这种荒谬至极的构想而愿意借钱。在无计可施的情况下，只能向家人或朋友伸手。然而，这一群人肯定是在赞成、反对各半的情形之下纷纷拿出钱来。

这时候有个必须注意的地方——即便是家人或朋友筹措来的钱，也不可贸然拿去盖工厂，因为向人借钱理当算利息，万一工厂倒闭了，债还是得还（我不信你会相信这个事业有成功的可能性）。

像这样的情形，去借贷远不如找人来投资的好。妈妈出100元，爸爸出100元，姊姊出100元，朋友出100元，还有自己口袋里的100元，用这些钱盖工厂，然后给每一个人写一张以兹证明投资的证书。如果公司赚了钱，拥有这张证书的投资人就可以依照本身投资的比例分配到权利，也就是总投资资金500元当中有100元是妈妈的投资，所以她可以分得总收益20％的权利。

如果回收的利润有1 000元，那么妈妈有权得到其中的20％，也就是有权利得到200元；换句话说，有100亿的利润，则妈妈可以得到20亿元。

可是如果情形刚好相反，公司没有赚到预期的利润，不但很可能关门大吉，不用说，妈妈也就没有还本的保障。这是因为妈妈不是纯粹借钱给人，而是她也是拥有20%分红权利的5个共同主人其中之一的关系。

利用向许多人募集而来的资金成立公司时，分给投资者的这张纸就叫"股票"。以发行股票募集资金所成立的公司，则称为"股份有限公司"。举凡大部分像"三星电子"或"现代汽车"这种性质的公司，握有这些公司股票的人就是"股东"，也就是这些股份有限公司的老板。

每一家企业一定都有些差异，一般来说，每投资5 000元，公司就会发给股东一张零股。假设这家公司全部的投资金额是10万元，而其中包括由你投资的5 000元，那么你就有权拥有这家公司5%的分红；股东有依投入资金等值的权力影响公司的营运投票权。假设有人投资了51 000元，那么这个人就握有公司51%的投票权，可以自由掌控公司的营运。一般来说，一家公司的创办人至少应该拥有公司51%的投票权。

"股票投资"就是指像这种买卖股票的行为。一家很会赚钱的公司，在年度分红的时候，理所当然股东就能分配到不少的利润，于是大家会争相去买这种公司的股票，这时候也就会造成5 000元股票涨到10万元，10万元股票涨到100万；相反地，如果是一家别说利润，还得靠投资本金过日子的公司，大家就会想要及早脱手，这时候，5 000元股票会变成1 000元、甚至100元，一路往下跌。

所谓投资股票，即便当下没有利润，一张股票不过5 000～6 000元，但是看准将来可能会赚大钱的公司下手才是重点。如果你选中的公司有一天成功地赚到大钱，那么为了买到这家公司的股票，大家就会争先恐后地抢购，而股价就会瞬间变成50万～60万元，甚至暴涨到以上的利润。这时候当初只有5 000～6 000元价值的股票，以暴涨的价格高价卖出赚取丰厚的利润，这就是投资股票的核心。

**2 向别人借钱的证明——债券**

一般来说，当人们向他人借钱的时候，都会写一张类似如下内容的借条——"我向你借了金额50块"。

债券等同于借条。差别在于，借条是私人在金钱上相互往来的依据，那么，债券则是像企业或银行这种特别名目的对象所发行的。债券是证明向人借贷的文件种类，即便生意再差，也必须依照约定按时归还利息，到了还清借贷的限定期限就得归还本金。万一没有足够的钱归还，那么就算变卖工厂、卖掉铁锤也得还债。

众多债券种类当中，较为人熟知的是国家债券、金融债券、公司债券。国家债券是指政府需要资金的时候所发行的债券；金融债券是金融机关所发行的债券；公司债券则是指企业需要资金时所发行的债券。

**☆☆☆证券**

证明权利的纸张

有价证券：同等货币价值的证券，也叫做证券。有价证券当中具代表性的有货币证券（支票、汇票）以及资本证券（股票、债券）等。

股票、债券：许多证券种类的一种，债券价值比股票为高。

证券投资：投资股票或债券。

股票投资：只单一投资股票。

# 增加两倍投资获利的条件

## 帮企业打通任督二脉

通常名为〝财阀〞的企业，其法律上正确的用语叫做〝大规模企业集团〞。被喻为经济界警察的〝公平交易委员会〞☆☆☆☆，每年针对大企业，意即大规模企业集团指定发布各项规定。而这些被指定为大规模企业集团的企业必须遵守各项规范：不能随意向银行借钱，更不能自由投资中意的事业，甚至不能为关系企业担任借贷保证人。

公平交易委员会这样的规范，算得上作风严谨，但是他们也得照章行事。举例来说，假设国内有100万家小吃店，这些小吃店的老板们为了求生存，会拼了命不断开发新的小吃。为了确实且迅速外送到顾客府上，每天勤劳地把机车擦了又擦，保养再保养。

万一竞争太激烈，导致大半数的小吃店关门倒闭，只有大型店面侥幸存活下来，这样的局面可能为社会带来什么样的影响？说不定会呈现与努力经营完全相反的态势。为了补偿自己曾经吃过的苦，集体漫天喊价将价格涨到没道理，从此绝不再从事外送服务。

为了防止这样的事态发生，必须适时地制定规范，惩处做坏事的人让他们及早觉悟，这就是公平交易委员会的主张。

如果公平交易委员会没有制定规范，这么一来，银行很可能就会把钱借给可能卷款潜逃的财阀。简单地说，某一大企业就算是不实企业，但是只要有关系企业担任保人，站在银行的立场会认为恶性倒闭的可能性较低，于是就会安心地把钱借给这些企业。但是若换做中小企业，即便他们之间愿意为对方担保，站在银行的立场则是认为风险太高，故拒绝拨款。

于是钱一直奔向大企业，大企业也就仗着钱多，财大气粗；相对地，中小企业则是因为没有钱，在资金困难中载浮载沉。为防止这种情况发生，事先制定有关的原则，正是公平交易委员会该做的事。

遇到景气衰退之时，公平交易委员会就必须让一步。为了造就国家富有境界，万万不可阻止企业向银行借钱从事新的投资。因此，公平交易委员会有时会适时制定出额外的规定，解套旧制度的不足。

## 减免税金，减少企业负担

如同个人赚了钱就得缴税一样，企业赚了钱也必须缴税。个人缴纳的税金称为"所得税"，企业缴纳的税金则称为"法人税"。简单地说，小英在公司努力工作领到薪资之后所缴的税金是"所得税"，"三星电子"用卖了半导体所赚来的钱缴的税金是"法人税"。

税金过高会导致企业丧失投资意愿，辛苦赚了钱却统统都得拿去献给国库的话，没有人还会想辛勤工作。当然，不可能会为了薪资里少了1％～2％就气得洗手不干，但是，心理上的负担可不能忽视。

可是，这1％～2％的税金对于企业来说，可不是个小数目。

这是一个甚至会影响到企业意愿的大数目。即便税金减免1％～2％，对于很会赚钱的企业来讲，至少能够少缴几百亿的税金。

如果有闲钱100亿，可以买至少10 000 000支1 000元的铁锤；可以买300包40吨的水泥，另外还可以继续盖停工的新工厂。减免"法人税"，可以让缴税之后常常是两袖清风的事业单位，口袋里还能剩下足以温饱的利润。然而，若没有减免法人税，那么对于投资死灰复燃事业的现象将会少之又少。

每当景气衰退，有关"法人税"下降的消息便会此起彼落，也正是因为这样的因素。税率1%～2%之间有数百亿往来频繁，原本没有"营养价值"的事业体，摇身一变成了闪闪发光的企业，这都是因为企业发挥积极投资意愿的成果。

### ☆☆☆☆公平交易委员会

为审议并决议"垄断机制暨公正交易相关法令"中制定的各项条款，以及违反相关条款，隶属国务总理所设立的"常设审议·决议"机关。韩国于1981年5月成立，由决议机构"委员会"与事务机构"事务处"所组成。

# 4 在小吃店遇见有钱人的故事

 **多方涉猎各种投资渠道**

如同企业为了赚钱而去投资，我们也是以赚钱为目的而投资。我们可以投资赚钱的渠道，大约可以分为股票投资、不动产投资、金融投资等。所谓股票投资，是指把钱投资在企业的股票上；不动产投资是指把钱投资在土地和房子；而金融投资是指把钱拿去做"定期预备金"或"定期储蓄"。

到底该怎么选择才能成为有钱人？没有答案。只能依照个人情况，选择绝对适合的投资手段。为了做出不会后悔的选择，有必要站在考量"稳定性"、"收益性"、"流动性"的角度，彻底调查这些投资渠道的背景。稳定性是考量投资出去的钱是否能安全回收？收益性是衡量能赚多少钱？最后，流动性是预估需要资金时是否能轻易兑换现金？

金融商品最大的特色——收益性低。因为利息不到5%，一整年供奉在银行也没有多少收益。若是斟酌股票能一天获利30%的收益，前者的水准根本无法和后者做比较。金融商品虽然收益性低，不过若以稳定性和流动性来看是很不错的渠道。

有些投机主义者基于收益性低的理由，对于金融商品根本不屑一顾，这实在是很严重的误解。突然哪一天急需周转资金的时候，金融商品立刻就能兑换现金；相反地，股票是卖出之后，必须等3天钱才会入账。不动产由于金额庞大，动辄个把月、甚至1整年迟迟卖不出去，更会让人心生焦虑。金融商品与其是投资手段，不如说是为以防万一而具备的安全锦囊。

如我们所知，股票的高收益性没有其他投资工具可与之匹敌。运气不错的时候，可能1个月就赚进几倍的收益，但是它却缺乏稳定的保障。因为万一投资的那一家公司倒闭，很可能连本金都要不回来。还本性更是不明确，如果是一家没有人气的公司，将股票挂卖整整1个月或许都还卖不出去。

　　不论是稳定性或收益性、还有还本性各方面，不动产都不算是那么优秀的商品。偶尔可有让人意想不到的暴利，但是收益性并没有股票来得高，稳定性更没有金融商品来得稳定。不过，当物价涨得昏天暗地的时候，可以说是最可行的投资手段。因为有别于金融商品或股票，它会随物价水涨船高。

　　要在金融商品、股票、不动产当中做出选择的时候，一定要慎重考量个别的特征加以判断。见到银行的利息高，那就以金融商品为对象多投资一些，若看准了不久之后物价将一跃而上，那就多投资不动产。此外，若发现股市有不错的发展，那最好就多买几张股票。

　　但如果因为这三种商品都深得你心，不妨就把财产分别往金融商品、不动产、股票上做投资，这样的手法用专业的术语就叫"资产3分法"。这是为了防范做单方面投资可能面临血本无归的投资方法。但是，并没有哪一种商品该投资多少比例的法则，只要依照自己的状况和当时的经济情况，调整好投资比例就行了。

## 第五篇

# 与"外销"别开生面的会晤

"外销"是赠予我们吃得好、住得好这种幸福的绝佳途径。

还不止如此，外销带给我们的还有更多。

其中最大的礼物，应该可以说是通过外销所赚进来的美金。

# 奔向国际市场

## 外销才是惟一的生路

对于韩国经济来讲，外销可以说是衣食父母。母亲是一个初生婴儿来到凡间睁开眼睛第一个看见的人，会为它哺育生命的第一口奶水。外销也是一样的，外销是支撑国家经济最根源的力量。

1945年8月15日得以建立的韩国，而今如同才刚初来乍到这人间的稚嫩小生命，正值为求生存而拼命挣扎的时候。甚至于向外国借钱盖年糕工厂、盖米肠工厂，但是都没有人来买。

如果当时大家愿意花钱消费辣年糕和米肠，那么韩国这个幼小的生命，也许有力量能够靠自己坚强地站起来。可是没有人愿意消费，因为在那个时候人们并没有钱。就在那样的当口，戴着救世主光环出现在大家眼前的正是外销——就是把那些努力生产的年糕往外国输出。

世界公认好手艺和精明头脑的大韩民国制作出来的辣年糕，霎时得到如潮水般的好评。韩国一夕之间赚取了前所未有的财富。然后用那些钱发给员工薪资，还用剩余的钱盖了更多工厂。等到新的工厂一盖好，就开始生产米肠大量销售，接着卖红豆饼、卖黑白切。

一开始韩国打定了主意要靠外销在国际间争得一席之地时，主要仰赖的是诸如像纤维和鞋子等不需要太讲求技术的产品。可是也不能光卖纤维和鞋子就好，韩国人可不是只会原地踏步的笨蛋！而是利用卖鞋子赚来的钱，拿去盖了石油化学工厂、钢铁工厂，再把从中赚来的钱，盖汽车工厂、半导体工厂，最后才有今天这值得为它骄傲的大韩民国。

## 外销程序完全攻略！

假设有人救了正在溺水挣扎的你，爬上岸之后你却只是对他一鞠躬回身就走，这实在不怎么有礼貌，至少得问问救命恩人他的贵姓大名才算懂得礼俗。同理可证，目前当然不用说，往后还得仰赖外销过活的话，对于外销多少懂一点常识是必需的。这才是我们对待我们如恩同再造的"外销"该有的基本礼貌。

构成外销的程序并没有各位想像中的复杂，就像在国内做生意，并没有太大的差别。只不过把商品卖到国外之后，收取款项方面比较吃力罢了。以下简略整理了有关外销的程序。我们来一项一项看下去：

- 利用网络也好、通过韩国在海外的大使馆也行，尽可能运用各种渠道，全体动员大力宣传商品，促成签约。

- 仗着已经签约在手就胡乱生产、卖出去是不行的，举例来说，我们外销了1碗经冷冻处理过的辣年糕给美国的克林顿，万一克林顿吃完之后嘴角一擦，当做什么事都没发生过的话……

以我们的立场就头痛了。如果是在国内，不管是用什么渠道把商品卖出去的，总是会有办法把该收的钱讨回来，可是把东西外销到国外，收钱可就没那么容易了。总不能为了讨回1碗年糕的钱，就大老远飞到美国去跟人家要。为了解决这种问题，登场的战将就是"信用证"☆。"信用证"是一种保证书，也就是说克林顿想吃我们的辣年糕，就得先到自己往来的银行去申请信用证。基本上没有信用证是没有办法外销的，因为缺少了收钱的渠道。信用证是万一克林顿没有付辣年糕的钱就跑掉了，银行保证会代开给付的证明。

- 因此要等到信用证到手，才开始炒辣年糕。

- 把辣年糕炒好之后包装妥当，托运给开往美国的船只，再向船舶公司要一份货物寄出证明。

- 接下来，带着船舶公司给的寄货证明和信用证，到国内银行去请款。

"我寄了1碗辣年糕给克林顿，这里有寄货证明和信用证。因为现在急需周转金，希望可以让我提前支领。"然后，韩国的银行就会审核美国银行发行的这份信用证，确认无误之后就会给付年糕的钱。因为已经先行给付了年糕的钱，所以，美国银行给付的年糕钱当然是归银行的。

- 国内的银行就会把货物文件和信用证拿给美国银行。美国银行只是确认是由自己本身发行的信用证，就会二话不说拿钱出来给付。

- 拿到货物文件的美国银行就会打电话给克林顿。"我们这里收到文件证明了，请你带足额的钱来领走吧！"

然后，克林顿就会带着1碗辣年糕的钱到银行换取文件。

- 于是克林顿就带着银行交给他的文件，船舶公司见到文件之后就会把辣年糕交给克林顿。

- 然后，回到家的克林顿就和家人一起享用美味的辣年糕。

经过这样的过程，外销就大功告成了。第一次接触到有关外销的过程，看到信用证、货物文件等这些用词，你可能会一时无法理清，觉得很复杂，不过，只要再看一次应该很容易理解。

☆**信用证**

　　保障以物品代金的给付约定。名称因人而异，有人称之为"进口信用证"，也有人称之为"出口信用证"。以年糕外销国外的我们的立场来看是"出口信用证"，站在克林顿的立场来看，则是"进口信用证"了。

# 在外汇市场见到"汇率"！

## 买卖世界各国的"钱"

假设卖给克林顿1碗年糕之后，我们收到的是美金☆☆。可是在国内，"美金"无用武之地，我们既无法用美金搭公车，也不能去喝投币式的咖啡，甚至也不能拿来发员工的薪水。所以，必须到银行兑换成韩国的钱。

但是，经由外销买卖之后所收回来的钱，不一定都是美金，可能有日本的"日元"，也有欧洲的"欧元"，更可能也有近来股价看涨的中国的"人民币"。

这些外国钱币我们把它称为外汇，买卖外国钱币的地方则叫做外汇市场。这里将它称之为"市场"，可不像南大门或东大门那样在门口挂个"外汇市场"的牌子开门做生意，而是可以兑换外币的银行，通过网络买卖美金的计算机通信网络，这些就是外汇市场。

## 各国钱币的身价——汇率

汇率，是指韩国钱币交换外币时的比率。举例来说，1块美金兑800块韩币，也就是说1块美金可以兑换800块韩币的意思。换个说法，就是说汇率是外币的价格。1块美金兑800块韩币的意思是，用我们的800块韩币可以买1块美金。若是1美金兑1 000块韩币，也就是说我们可以用

1 000块韩币买1块美金，比1块美金兑800块韩币时多出了200块韩币，这就表示美金的身价涨了这么多。

　　演员出名了就会身价高涨，钱也是同样的道理。若美国商品的品质好，大家一定都抢着买美国货。想要买美国商品就得用美金交易，这么一来，大家会为了拿到美金蜂拥而上，越多人抢着要，钱的身价自然也就跟着涨了。以前用800块韩币就可以买到1块美金，这下变成要花1 000多块韩币才能买，美金的身价就这样水涨船高了。这种情形用较专业的说法是说"汇率升值了"；意即，国内钱币与外币交换的汇率变高了。

　　这次，我们假设汇率由1块美金兑800块，变成1块美金兑500块韩币。以前想要买1块美金得用800块韩币买，现在用500块韩币就可以买到了。这也就表示美金的身价下跌了。像这样美金身价下跌的情形换成另一种说法是"汇率贬值了"；意即，韩国钱币与外币交换的汇率降低了。

## 是什么让汇率摇摆不定？

### ① 外销与进口

　　假设韩国对美国外销了很多很多的东西。向美国外销商品，拿到的货款当然就是美金，外销越多商品，就有越多的美金会流入国内。国内的美金过多的话，价值就会下跌。美金不足的时候，因为大家争先恐后地抢着要，所以1块美金还兑到1 000块，随着美金过剩没有人愿意买，美金的价值也就下跌到1块美金兑500块。

　　韩国从美国进口了许多商品的时候，就会发生完全相反的情况。想要购买美国商品就会需要美金，所以，大家就会争相购买美金。美金会随着购买人潮，身价也就水涨船高。

### 2 景气

如果国内景气很好的话，外国投资者就会争相在韩国做生意。这些人为了在韩国做生意，势必得有韩国的货币，因为雇用国内人才不可以发美金当做薪水。这么一来，外国投资者为了兑换韩国货币在银行门口大排长龙，韩国币值也就会身价看涨了。

反之，若韩国国内景气差，外国投资者就会纷纷转而寻找另一个投资标的。那么，他们就不再需要韩国货币，而这次外国投资者为了将这段期间赚到的钱换成美金，再次在银行门口大排长龙。随着需求美金的人越多，其币值就会上扬，韩国的币值就会往下掉了。

### 3 利息

假设国内的银行利息是20％，而美国银行的利息是5％。美国人一看到韩国的银行利息比自己国家来得高，会纷纷希望能把自己的钱放在韩国银行。这么做之前，他们必须先卖掉美金，改买韩国的钱币。于是，人们为了买韩国的钱币蜂拥而上，如此一来，韩国的币值就会往上升。

## 关住"汇率"的框框

### 1 汇率会动——浮动汇率制度

浮动汇率制度，意思是指随着需求与供给每天自由变动的汇率制度。若是需求美金的人多，那么，1美金可能兑1 000块韩币；相反地，若没有人要买美金，则1美金也可能只能兑10块钱韩币。

因为汇率每天都在变，对于出口业者是一个头痛的问题。好比说，1块美金兑1 000块韩币的时候，卖给克林顿1碗辣年糕可以要价两美金。到银行兑换从克林顿手中拿到的两美金，换成韩国钱币是2 000块韩币。假设制作辣年糕的成本是1 900块韩币，那么，我们还剩下100块韩币的利润。

可是，如果克林顿一直没空去结算代偿，直到一个月以后才将这2块美金汇进户头，那么情况会如何？若是这时候的汇率还没有变动，仍然是1块美金兑1 000块韩币的话就没什么大问题。可是，如果汇率下跌了，问题就来了。原本1块美金兑1 000块韩币的汇率，变成跌到1块美金兑500块韩币，那么从克林顿手中拿到的两美金只能换成1 000块韩币了。

汇率不幸从1 000块韩币跌到只有500块韩币，也就是在这两个月里无端损失了900块钱（扣掉成本1 900之后还要损失900块）。碰到像这样的情形，别无他法，只能接受损失。如此，因为汇率的变动而遭受损失的情形，以专业用语就叫"汇差损"。

话又说回来，如果克林顿去结算代偿时候的汇率是1块美金兑2 000块韩币，那么情况又有什么不同？带着卖辣年糕的两美金到银行可以兑换成4 000块韩币。从中扣除成本1 900块，还赚了2 100块韩币。这也是因为汇率的变动瞬息间多赚了2 100块钱。总归一句话，"赚疯了"。如此这般，由于汇率变动而发生的利益，以专业用语就叫"汇差益"。

"浮动汇率制度"亦是瞬息万变，随时间的流逝，其变动幅度也会随着涨幅跳动，因此企业无不个个伤脑筋到不行。但是换个角度思考，不管是汇差损还是汇差益，也许其实再简单不过。虽然会因为汇差损而有所损失，但是也由于汇差益而获利。此外由于"浮动汇率制度"，企业无法拟定长期计划，因为汇率总是瞬息万变。

　　无视于这样的问题点，韩国以及国际间其他各国都仍然采用＂浮动汇率制度＂的原因，是通过它能够维持出口与进口的均衡。关于这一点，以下为各位做个具体的说明。假使我们有很多商品外销到美国，那么美国方面可能并不会很欢迎，因为相对地这表示以美国的立场来说进口增加了。每次都是他们花钱买，而我们都不光顾他们的商品，想必一定非常不愉快。如果这样的情况过了头，要是美国耍心机，很可能我们就得面临伤脑筋的问题了。所以，以防万一，我们也有买他们商品的必要。

　　不过，若是选择了＂浮动汇率制度＂，那么我们就不见得一定要买他们的东西了，因为浮动汇率制度会让出口与进口保持适当的状态。好比说，从国内外销很多辣年糕到美国，那么也就会有很多美金会流入国内。美金一多起来，以前1块

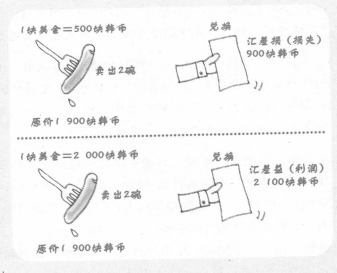

美金兑1 000块韩币的情形，就会变成1块美金兑800块韩币了。在这样的情形之下，以美国企业的立场来说，从前只需要用1块美金就可以吃到1 000块韩币量的辣年糕，可是这会儿只能吃800块钱的量。然而，美国并不一定非得吃韩国的辣年糕不可，可以改由日本或中国进口，这么一来，韩国对美国的外销量自然就会减少了。

## 2 汇率随时都一样——固定汇率制度

固定汇率制度是指，国内货币以美元作为标准，将交换比率以1块美金兑相应数量的方式加以固定的汇率制度。用铁钉钉住"1块美金兑800块韩币"这个汇率，那么汇率永远都会保持在1块美金兑800块韩币。单从计算的角度来想，可以很高兴不用再为了计算汇率而大伤脑筋，然而事实上并非如此。

举例来说，处在1块美金兑800块韩币的固定汇率之下，**假设韩国外销很多商品到美国而赚了许多美金。此时随美金的增多，韩国币值就会贬值，由于贬值造成物价会上涨。如果想要降低物价，避开与美国之间的通商压力，最好的方法就是减少外销。**为了减少出口就必须降低汇率，但是被钉死的1块美金兑800块韩币的制度之下就变得不可能。固定汇率制度最大的缺点，就在于它无法调整国际收支。

☆☆强势货币

　　在国际交易中占据领导地位的货币，最具代表性的例子是"美金"。

# 找寻"外销"背后操纵的势力

## 朝向成为国际经济的"主角"之路迈进

"外销"是赠予我们吃得好、住得好这种幸福的伟大存在。还不止如此，外销带给我们的还有更多，其中最大的礼物应该可以说是通过外销所赚进来的美金。如果没有美金，我们可能立刻就会从历史上消失了。如果说只不过因为美金，我们就得面临可能被宣布终结的命运，实在是很伤自尊心的事情，不过，现实是冷酷的。

假如我们有强大的国力，我们的钱被世界予以公认，那么，不一定非得拼命赚美金不可。但令人遗憾的是，韩国货币在国际的舞台上连临时角色的待遇都拿不到。说得坦白一些，充其量只能演个"路人甲"之类的角色。当然，假以时日或许可能跳过临时演员的角色，直接担纲主角也不一定？

对我们自己来说，1 000块或1万块都是很宝贵的。但是，在国际间进行交易时，却什么也买不到，因为得不到世界的认同。因此，想要购买国内没有的东西，手上就必须得有美金才行。比方想要现在就买石油，还是得有美金，用韩国的货币根本买不到石油，搞不好一个不小心就被拉回成天拿着石头做的斧头追着兔子跑的原始人时代。

还有粮食方面，近来国人所吃的饮食中，如果说国产的部分只有"米粒"，这句话一点也不夸张。因为其他的农产品都是由外国进口而来的，买这些东西也都需要靠美金才办得到。要是没有美金，我们很可能以后都只能咬白饭。

"不能只吃白饭！我们还要菜菜！"任你喊破喉咙，只会让自己的肚子更饿而已。这意思也就是说，会变成没有美金就什么都做不成的世界。这样的情形固然令人颓丧，但是，总不能只顾着怪罪这世界！我们应该努力实现——让我们国家的钱币不论到任何地方都能通行无阻的未来！

# 操纵"出口"的幕后势力

## ① 海外景气

**影响出口最强大的幕后势力是"海外景气"。**

举个例子，假设目前美国的景气非常好。美国景气好，他们国内的工厂运转就会很活跃，而美国人民收入就会提高。收入提高之后，生活也过得还不错，这么一来，原本只买国货的人就会开始购买外国货。另外，本来只买必需品的人也会开始增加额外的消费。受到美国这样的景气变化，韩国的外销产量也就能跟着提高。

同样的道理，中国的景气好，人民收入也会增加，那么就会如同美国的情形，我们外销中国的产量也就会提高了。

## ② 汇率

如同海外景气，同样影响外销的要因就是汇率。假设汇率从1美元兑800块韩币提高到兑1 000块韩币。从美国人的角度看来，以前1块美金只能买到800块韩币的东西，换成现在可以买1 000块韩币的东西了。然后，就会进口许多韩国的商品。意即，我们有许多商品会外销到美国去。

换做国内出口业者的立场来看，也会有相同的想法。拜汇率上涨所赐，以前卖1块美金的东西只能要到800块韩币，这下可以收1 000块，还多赚了200块。利润增加了，理所当然不会再懒得外销了。

**即便如此，汇率攀高了不见得都是好事。汇率提高了，相对的，我们从国外进口的物价也会上扬。**打个比方，若想要买1块美金的石油，以前只需要付800块韩币，可是现在却得花1 000块韩币才买得到。也就是说，石油价格也会跟着拉高。不只石油，凡是所有我们进口的东西也都会依这样的原理往上涨；意即物价会上涨。

这一次，我们假设汇率下跌了。1块美金兑1 000块韩币变成只兑500块韩币，那么美国方面只好缩减进口。以前1块美金可以买1 000块韩币的东西，现在只能买500块韩币的商品。这是因为汇率下跌了，韩国的物价相对性地提高了。最后，美

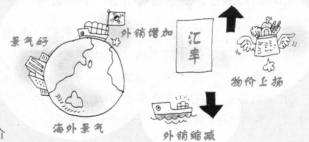

国人把视线转向日本或中国大陆，而韩国的外销产量就会减少了。

从国内的出口业者立场来看，也是一样的。以前卖1块美金的商品，可以赚1 000块韩币，可是现在只能收500块韩币。汇率下跌了，就损失了500块。处在这样的困境，出口业者不得不为了销售商品而更加努力。

# 增加输出，减少进口

　　输出，不管是对哪一个国家都是非常重要的。话虽如此，也不能盲目地追逐增加外销的政策，这么做很容易被国际社会排挤。原因是虽然增加消费与投资的政策会影响的是各国国内本身，但是有关输出的政策却会对进口的国家造成影响。也就是说，盲目促进增加输出的政策，对于进口国家来说实在不是个礼貌的举动。不过，世界各国的公务员叔叔、阿姨，为了想尽办法增加出口、减少进口而夙兴夜寐，努力拟定各种配套措施。

## 增加"外销"的政策

　　为了增加外销而促进的政策当中，最具代表性的方式是"金融贸易"。

　　这是为国内出口业者通融货物装船之前所需资金的制度。举例来说，假设春香为了卖辣年糕给克林顿，事先拿了克林顿交给她约定给付金额的信用证。若是春香的资金情况没问题的话，她可以立刻做好辣年糕寄给美国的克林顿，但是，签约之后不巧没有钱可以采买材料。春香在这个节骨眼可以运用的正是"贸易金融"。带着年糕外销签约书和信用证，银行就会以很低的利息贷款给她，然后就可以利用这笔钱去采买材料，赶快做好1碗色香味俱全的辣年糕寄给美国的克林顿。

　　**除了"金融贸易"之外，随外销减免税金的制度也是为了增加外销**

103

**的政策之一。**如同我们按月支薪就得缴税，企业赚了钱也必须缴税。不过若是通过外销赚来的钱，就会给予减免税金的优惠。如此以企业的立场来说，干脆就选择朝少缴税的事业发展，而这些企业的选择就是期待能够大幅增加外销。

## 减少进口的政策

世界各国尽可能都不太愿意进口。为了减少进口，世界各国展开各种防御技术，说得专业一点就是"贸易壁垒"。世界各国设置进口壁垒的理由很多，其中最重要的原因可以说是"职缺"。假设我们从美国进口的钢铁制品量增加，那么在国内钢铁公司上班的员工职缺就会跟着减少。因为随着美国钢铁制品使用量的增加，国内生产钢铁的消费就会减少，这么一来员工只得被解雇。

进口壁垒大致上分为关税壁垒和非关税壁垒两种。我们依次看一下：

**1** **关税壁垒**

国与国之间往来的商品上附加的税金，称为"关税"。关税是指每次都随出口附加的"出口关税"，和每次进口时所附加的"进口关税"。不过，几乎没有禁止出口的情形，所以一般来说，关税指的是进口时附加的税金。

附加关税的理由非常简单，随税金的附加，所进口的物品价格也就会随着调高。进口货的价格高，那么，怎么说都会在和国产品的价格难以竞争的情况下失去立足点。

没有人买进口货，进口量自然就得减少，"国际收支"发挥的改善功能，也就在这里看出效果。不过，过度的关税，很可能会引起和他国之间贸易往来的纷争。

## 2 非关税壁垒

非关税壁垒是指除了关税以外的所有进口壁垒。世界贸易的自由化通过关税越来越难以保障自身的产业，世界各国纷纷设立新的替代方案——非关税。

非关税壁垒当中，最为人们熟知的是"进口限额制度"。

举个例子来说是这样子的，"1年内所有能从美国进口的面粉量只有1袋"。把这道官令用铁钉牢牢钉住。

像这样的进口限额制度，实在是让人一看便懂的壁垒。因此，世界各国都很努力地想开发出更能掩人耳目的高竿非关税壁垒——例如强化农产品的检疫标准来抑制进口的手段，就是最具代表性的例子。

# 5 在小吃店遇见有钱人的故事

## 致富，没有捷径

在人生旅途中，我们总在找寻快速又好走的路。但是很抱歉，想致富，并没有快捷方式可走。偶尔会有些看似快捷方式的路诱惑我们向前，其实是"海市蜃楼"。若像在沙漠那样轻轻消失倒还好，但是在通往有钱人的路途上，这样的海市蜃楼很可能夺走我们所有的一切，因此，一定要小心再小心！过度的欲念，是迈向有钱人之路的人第一个必须舍弃的包袱。欲念的包袱越重，往前的路途就越遥远。一个不小心，很可能就会受到永远都无法复原的创伤。

不论是靠股票投资变成有钱人，还是投资不动产赚一大笔，这都是你的个人自由。但是，过度的欲念仍然是禁忌。投资股票也好、投资不动产也罢，如果以为可以等着赚银行贷款利息两倍以上的收益，请千万牢记：这样的想法与赌博没什么两样！

举例来说，银行贷款的利息是10%，却有人拍胸脯保证能够回收20%的收益，这时候只管赶走诱惑才是最明智之举。你绝对可以认为能多赚银行贷款利息的两倍以上是骗人的。若是真能回收20%以上的收益，他自己去赚都来不及了，怎么可能告诉别人呢？他大可以去银行贷款，再独赚所有的收益就行了嘛！除了骗人，世上没有这么便宜的事情！

钱滚钱，就像滚雪球一样，刚开始要滚成雪球会很吃力，可是一旦起了头，滚动的速度是挡不住的。钱也是一样的。一开始就高喊要赚大钱的人，就像刚开始就大喊要滚出大雪球的人是一样的，因为这是绝对不可能的。最快到达致富之路的方式，就是慢慢走。

"保障60%的收益！"

"你能一夜致富！"

我们不能再做把灵魂卖给这些流言蜚语的笨蛋。绝对没有这种快捷方式！致富的道路上，"飞天遁地"似的方法是不存在的。

所有的有钱人，都是异口同声说："第一是安全，第二还是安全。"

通常，有钱人比起投资股票更喜欢投资不动产的理由，也就是因为安全。而且就算投资不动产失败了，至少还有土地和房子留在手上。但是我这么说，可不是要你去投资不动产。即便你去投资不动产，若是太贪心一样会失败。就某种角度来看，不动产投资还比股票投资受骗的可能性更大。因为一时的贪念，被骗人的魔术失了魂，就算是不动产，终究难逃被骗的命运。

第六篇

# 发现金融市场的魔力

若投资需求减少了，
那就由消费需求和外销替代上阵，
无法外销就找消费和投资来顶住。

# 运转金融市场的要素

如果现在你的手边有报纸的话，请注意看一下经济版。说不定你会看到"今日主要经济指数"等的篇幅。从内文里不难找出像是利息啦、汇率啦、综合股价指数、道琼斯指数☆ 等字样。若你没有买报纸，那就回想一下昨晚的"晚间新闻"。"晚间新闻"开始播报之前，会先以"今日主要经济指数"这样的标题，为大家整理汇率利息、还有综合股价指数。那这三者究竟有多重要，需要放在"晚间新闻"的头条？

## 外销幕后的势力——汇率

看到这里，大家来回想一下关于"总需求"的印象。总需求包括了消费需求、投资需求、政府需求、输出需求等。在国内，输出需求扮演着最重要的角色。如果说外销是赚钱盖工厂、发放员工工资的架构，这句话一点也不为过。

对外销造成影响的最主要因素是"汇率"。汇率上涨，外销就会增加，美金也就会流入国内。这时就会有钱盖工厂，展开新的事业，自然而然，工作机会也就会多出来；反之，汇率下跌，外销也就会减少，原本运转良好的工厂这时候也得喊停，处于必须解雇员工的危机当中。一旦倒闭的工厂增加的话，国内的经济也会陷入困窘的局面。

结论是我们的经济依附着外销，而外销掌握在汇率上。如果套用

1980年的说法就是说，外销幕后的势力就是汇率。如此这般，汇率绝对影响着外销，所以"晚间新闻"才会不断地将昨天、今天、明天的汇率，不厌其烦地将最新的数据向国人报告。

## 消费与投资背后的势力——利息

**如果说外销背后的势力是汇率，那么，消费需求与投资需求的背后操纵的势力就是利息。**那利息是什么？别想得太复杂了。例如向朋友借了100块，1年后带着感谢的心还他110块。以感谢的心多给的10块钱就是"利息"。此外，这10块钱的利息在本金100块当中所占的10％就是"利率"。这是指利息在本金中所占的比例。利率的另一个名称就叫"利息率"。

不知道各位读者是否能理解"利息"的涵义？那么，从现在开始我们就来看看，为什么"利息"会被套上消费需求与投资需求的背后势力这样的枷锁？利息上扬的话，站在企业的立场必须交给银行的钱会增加，所以没有办法做投资。如果能够赚回像交给银行那么多的钱，那真是万幸！但是由于赚钱不是那么容易的事，利息一旦上升，便会使得企业减少投资。

像企业一样，国人要是碰到利息上升，心里也会很不踏实。如果利息能够上升1％～2％根本不用操心，但要是上升到5％以上的话，诱惑的手就会从四面八方朝你伸过来。当然，这种情况可能会因人而异，但大体上为了趁利息上升时得到更多的收益，人们于是乎就会带着钱来到银行。很自然地，消费就会减少了。

不过，利息的下降又会引发相反的情况。由于利息负担减少，企业为了新的事业而忙着盖新的工厂、购买新的机器，也就是投资需求增加了。对国人来说也是一样的，利息调降了，于是向银行贷款买下长期梦寐以求的车子、帮太太买泡菜冰箱等，也就是消费增加了。

如此这般，**因为利息是左右消费需求和投资需求主要的背后势力，而这就是我们需要去注意每日利率一举手一投足的原因。**

## 能够一眼看穿经济的镜子——综合股价指数

这会儿大家应该已经对汇率和利率懂那么一点了。那么，剩下的这个叫"综合股价指数"的东西是个何许人物，居然与利息和汇率一起每天荣登"晚间新闻"的头条？

综合股价指数，简单地说就是把所有国内企业的股价加总，与1980年1月4日的股价做比较。打个比方吧，假设加总1980年国内所有企业的股价，所得总数是10万元；而2004年5月5日国内所有企业的股价总和是100万元。说得更简单一点，若1980年股价的总和是100点的话，2004年5月5日的股价总和就是1 000点。综合股价指数1 000点，就是表示2004年股价成长了10倍，若为1 100点，则表示成长了11倍。

但所谓"综合股价指数成长了10倍"指的是什么样的意义，可能不是那么容易理解。举例来说，因为消费需求、投资需求、出口需求增加了，所以辣年糕、米肠、汽车好似长了翅膀一样销售一空。这么一来，年糕工厂、米肠工厂、汽车工厂就能赚进大把大把的钞票。于是这些工厂都跟着赚了钱，可以给员工加薪，分更多利润给公司的股东。

像这样的好景气，大家的口袋鼓鼓，连平时从来不碰股票投资的门外汉，也都会往股票市场的门缝里窥探。此外，见到国内企业赚大钱的外国投资人，这时也都往国内股票市场聚拢。像这样不论是韩国人或是外国人，随着他们开始购买国内企业的股票，股价就会立刻往上冲。另外，加总国内所有企业股价的综合股价指数也会跟着上涨。综合股价指数的攀升，也就是指国内经济运转得很顺畅。

如果说汇率是外销的背后势力，而利率是消费需求与投资需求的背后势力，那么，综合股价指数就是为我们照射出口与消费还有投资活跃程度的镜子。想关心国内经济的脉动，可是又没空花时间去了解的人，只要看综合股价指数就够了。如果你看到昨天的综合股价指数是1 110点，

而今天却是1 200点，这就是国内经济今天比昨天好，若是下降为1 000点，那就表示经济比昨天还要差。

当然，综合股价指数并不会只为经济性的因素而起伏，不过以长期的角度来看，它总是与国内经济相伴，所以就算只看综合股价指数，也能充分看见目前国内的经济状态。

## ☆道琼斯平均股价指数

**Dow-Jones Stock Price Average**。这是由美国道琼斯公司每天计算出四种股价所发表的平均值。工业股30种、铁道股20种、公共股15种等总共有65种股价的平均值。有些批判指这种指数无法反映整体成长股票的动静，不过它历史悠久且以世界级的大企业为对象，由《华尔街日报》（*The Wall Street Journal*）发表，掌舵着美国证券市场的动向。是最具代表性的指数，更曾在1999年3月16日将超过1万点的美国经济辉煌时刻呈现在世人眼前。

# 发现金融市场

前面已经提过，出口需求的背后势力是〝汇率〞，消费需求与投资需求的背后势力是〝利率〞。而投射出口需求与消费需求、投资需求等让人了然国内经济活跃运作的镜子，就是〝综合股价指数〞了。

那么，汇率和利率、综合股价指数它们都住在哪里啊？再怎么说，它们可都是国内经济背后操纵的势力，如果连它们的居住地都不知道的话，那就太说不过去了。

为了以防万一，最好还是先了解一下〝汇率〞和〝利率〞、〝综合股价指数〞的居住地。如果没办法每天在它们家门口执行埋伏任务，也应该要知道一下它们住哪里，以便日后出问题的时候，好去审问它们到底有没有善尽在背后操纵的职责。

不知道是上天的安排或有其他原因，很幸运的是它们全都住在同一栋楼里。它们在身份证上的居住地，是叫做〝金融市场〞的一个非常特别的地方。现在，大家背好行囊，前往金融市场旅行吧！

金融，是〝钱之融通〞的白话；意即把向人借钱以及借钱给人的行为，以比较高尚的说法表达就叫〝金融〞；而借钱以及借钱给人的市场就是〝金融市场〞。通常，金融市场按照交易项目的不同可以分成很多类型，接下来我们来探讨关于其中声名大噪的〝短期金融市场〞、〝股票市场〞，以及包括〝债券市场〞的〝长期金融市场〞、〝外汇市场〞等。

## 短期资金往来的 "短期金融市场"

光听名字就猜得到，短期金融市场指的是限期1年以下短期资金往来的市场。

通常是企业或政府、金融机构，这些比起个人拥有更高额度信用的机关，在很短的时日内融通巨额的资金。这也是操纵消费需求与投资需求背后势力核心之一 "活期贷款的利率" 居住的地方。至于 "活期贷款利率"，我们将在后面章节加以探讨。

## 长期资金往来的 "长期金融机构"

长期金融机构是限期1年以上的机构，长期资金往来的市场也叫 "资本市场"。比较为人们熟知的资本市场，有 "股票市场" 与 "债券市场"。

**① 股票市场**

股票市场，顾名思义就是指股票交易的市场。前面提过的综合股价指数，它就在这个村子里活动。说综合股价指数是像汇率或利率那样扮演背后操纵的角色，倒不如说它比较着重在呈现目前经济状况。话虽如此，但绝对不是说综合股价指数只是单纯呈现经济现状的配角。综合股价指数分明也是影响消费需求、投资需求、出口需求的背后势力之一，但并不是像汇率或利率一样的核心势力，所以虽然欲罢不能，还是就此打住吧！

## ② 债券市场

　　债券市场，是指交易债券的场所。在债券市场里，住着一个叫做"国库债利率"的家伙，它像"活期贷款利率"一样，在利率家族的后生晚辈当中是最"声名远播"者。有关国库债利率，我们以后再详细探讨。

# 外币往来的"外汇市场"

相信用不着我解释外汇市场是干什么的。外汇，意即交易外币的市场，就是在这里决定"汇率"。我们在前面谈及出口的时候说明过很多次，讲到可能大家都感到厌烦了，所以在此就不再赘论了。

利率、汇率、综合股价指数当中，关于综合股价指数以及汇率已经在前面章节详加解析过，所以接下来应该要了解一下有关"利率"这个名词。

利率家族"杰出人物"辈出，各自在不同的领域发挥着了不起的功能。定期准备金利率、定期储蓄利率、可转让定期存单（Negotiable Certificate of Deposit）利率、再回购协议（Repurchase Agreement）利率、信用贷款利率、公司债利率、国库债利率、活期贷款利率、社会保险利率、优待利率、家产利率、表面利率、有效利率、实质利率、名义利率等。"利率家族"的后代子孙繁多，要点到每一个名字，可能得花上大半天的时间才够。光是说明这些利率的来龙去脉，大概可以写上一整本书了。

在这众多利息家族的后代子孙当中，我们来针对最有名的两个后代子孙聊一聊。他们的名字是"活期贷款利率"和"国库债利率"。

## 银行间互相往来的利息——活期贷款利率

我们经常觉得干渴，尤其是对于金钱的渴望。如果金钱能像水龙头

118

打开就哗啦哗啦倾泻而下该多好！事实上这是不可能的事，所以才会让人渴望。碰到急用，也许可以打电话请朋友帮忙，或赶紧去找平时连打一通电话都懒得去问候的父母亲。

可是，渴望金钱的不只有我们，银行也会碰到缺钱而干竭的时候。借出去的钱一大堆，却迟迟没有按时进账，就算是财力雄厚的银行也会喉干难耐。银行若有急需用钱，也会打电话给朋友，也就是打电话向其他银行借钱。

**像这样银行之间互相借来借去的钱叫做"Call Money"，这是指打电话（call）向银行借来的钱的意思。**我们可以把"活期贷款利率"想成是适用于银行之间互借金钱的利率，而银行之间向其他行借钱、借钱给其他行的金融市场，就是"活期贷款利率市场"。

在"Call市场"往来的钱期限非常短，期限最长顶多一个月，一般来说，大部分都是以1天为限。活
期贷款利率是银行之间融通
金钱时所采用的利息，活
期贷款利率上升，那么借
给一般人或企业的钱其
利息会调高。除非银行是
笨蛋，要不然绝不可能把
向其他行以2%的利息借来的
钱，仅以1%的利息借给一般市民。

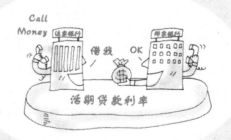

活期贷款利率上升，则借给企业或一般人所适用的利息也跟着调高，投资需求与消费需求就会缩减。随着需求减少，年糕市场、红豆饼市场也就受到波及，于是国内经济陷入停滞窘境。

　　反之，若活期贷款利率下降，状况就会朝完全不同的方向展开。企业或一般人贷款的利息下降，投资需求和消费需求就会增加，国内的经济就会跟着活络。如此这般，活期贷款利率影响着投资需求与消费需求，所以比任何一种利息都要备受礼遇。

## 公开市场资金状况指针——国库债利息

　　同样地，政府也会有口渴的时候。若是税金都按时入账就没什么大问题，但是不按时缴税的人日渐增多，不能及时入账的政府也只好向人借钱。为了借钱，政府会发行借据，而这个政府所发行用来借钱的借据叫做"国债"。

　　举例来说，政府紧急需要1 000块，所以将"1年后归还1 000块"这样的借据卖给大家。如果市场中有很多钱，那么人们就会争着买这个借据。假设以950块买了这张借据，将在1年后拿到1 000块，所以借了950块给政府，那多出来的50块就当是借钱给他所收的利息了。借了950块出去赚到50块的利息，利率即是5%。

　　可是如果市场中没什么钱，那么政府所发行的借据就乏人问津了。这个时候买的借据，到时候很可能只剩下800块钱的价值了。如果以800块买下了政府价值1 000块的借据，换句话说，也就是借给政府800块，得到利息200块，所以利率是20%。

　　政府发行的债券，不同于一般公司行号发行的"公司债"性质。公司债，是像三星电子或现代汽车公司为了筹措资金而发行的债券，这种债券的缺点在于，一旦公司倒闭，那么投资者的钱也就血本无归；而国债则绝对没有这样的顾虑。因为只要国家还健在，就一定能拿回本金和利息。于是，钱潮才会倾向于比较安全的国债而舍弃公司债。国债利息，是反映公开市场资金状况最重要的镜子。

政府所发行的国债，有国民住宅债券、外平债☆☆、国库债等多种类型。其中最具代表性的债券是"国库债"。国库债是政府为了准备一般活动的资金而发行的债券，从前叫做"国库管理基金债券（国管债）"。在众多国债券当中，约定3年后归还而发行的债券利用最多，这就是"3年满期国库债"，而其利息就被认为是代表公开市场资金状况的利息。

## ☆☆国民住宅债券VS. 外汇平衡基金债券

国民住宅债券：政府为了筹措国民住宅事业所需资金而发行的债券。由财政经济部发行，国民银行出售。

外汇平衡基金债券（Foreign Exchange Stabilization Bond）：为了调节国内汇率等外汇市场的资金，称为外汇平衡基金。为了筹措这项基金财源而发行的国债，称为外汇平衡基金债券，又简称外平债。

# 是什么摇晃利率的心？

## 金融市场"钱"的多寡

　　活期贷款利率，可以说是视银行之间的资金情况而决定的。当然，影响决定活期贷款利率还有其他很多因素，终究最重要的一点，仍然是银行之间的资金情况。若每一家银行都有成堆成堆的钱摆在金库，也就没有必要向别家银行借钱。再者，即便一时的资金短缺，只要一通电话，四面八方的银行很可能就会争先恐后地掏钱出来。就像这样，互相争着借钱给对方，利息就会下降；相反地，如果彼此都需要向对方借钱，那么利息就会上升。

　　当我们仔细观察这种理论，会发现决定国库债利息的终究是债券市场的资金状况。**当债券市场钱满为患，利息就会下降；钱少得捉襟见肘，利息则会上涨。**同理可证，可以说决定债券市场的利息，亦是视债券市场的资金状况而定。

　　结论就是，决定各种利息的是各个金融市场的资金状况。债券市场的钱多，债券利息可能就会下降。若债券市场的利息不断下跌，那么"钱"这东西就会另谋他处，找寻利息更高的地方。

　　此外，如果钱都集中到债券市场，那么一向维持在50%～60%的利息，一下子"咚"跌到30%～40%。如果债券市场的利息下跌，所有的钱又会全数往银行聚拢。这么一来，银行多到不行的钱，会造成活期贷款利息下跌；换句话说，活期贷款市场的利息是由活期贷款市场的资金状况，债券市场的利息是由债券市场的资金状况所决定的。

**视野够宽就会发现，决定利息最原始的根本因素，其实是流通在全国的钱。**也许可能依金融市场而有所区别，但是如果全国有堆积如山的钱，那么全体利息必定都会下跌；反之，如果国内资金枯竭，全体利息就会往上扬。这一点也就是在明示：要是能够调节在全国流通的钱，则国内的全体利息也就能调节。通过这样的利息，消费需求、投资需求也都能予以调节。

# 在公开市场流通的钱量——通货量

在前面就提过，操纵消费需求与投资需求最大的背后势力是利息，而决定这利息最重要的因素正是全国往来不断的钱。国内钱多，利息会下跌；没有钱，利息则是往上爬。形容全国流通的钱，另一种说法是"通货量"，有"流通的货币"之意。☆

市场上的钱会流通的原因大致上有两种：其一是由央行勤奋地印制钞票，其二是由央行印制称为"准备金通货"这种很官方名称的钱。

## ❶ 由央行印制的钱

每一个国家都有负责发行管理该国货币的机关。发行一国的货币、调节国内流通的钱量、稳定物价、谋图经济发展的机关，称为"中央银行"。中央银行以民间银行与政府为对象，接受储蓄及受理贷款。因此，中央银行也称做"银行的银行"或是"政府的银行"。

韩国的中央银行是韩国银行，国人手上所有碰得到的钱都是由韩国银行的金库出来的。以个人的私心，恨不得叫央行的员工不准下班，1年365天都不停地印钱出来。但是这么做会造成一个问题，假设央行把所有国内的钱都凑合起来只有10个10块钱铜板，而市场的产品只有10碗年糕。这么算起来，1碗年糕的要价是10块钱。

假设央行连夜多做了10个10块钱的铜板。那么，国内的钱总共是200块，则年糕1碗的价钱会涨到20块。这只是物价〔将所有物品的价格凭本事料理出来的平均值〕涨了，实质上并不是国内经济全体的物价增加的现象。反而对于有固定收入的上班族而言，物价上涨〔Inflation（通货膨胀）指物价急速上升的状态；相对的Deflation（通货紧缩）就是指物价急速下滑的状态〕，日子可能会过得很辛苦，从前10块钱的薪水还可以吃个1碗年糕，这下连半碗都买不起了。

如果真的发生了这样的情形，央行总裁一定免不了被骂得狗血喷头。因此，央行总裁必须每天都绞尽脑汁，为了印制不多也不少、刚好够用的钱而抓着头皮苦思。

另一方面，央行需要印钞票的情形大抵可分成三种情况：

· **政府伸手借钱的时候：** 一般来说，当政府没有钱可以铺路、修水坝的时候，就会征税、或者发行国债。万一收不到税，也没有人买国债，那么最后的手段便是向央行发公文——借点钱给我吧！

以央行的立场而言，不是别人而是政府说为了铺路、修水坝需要向他借钱，身为一家人总不能充耳不闻，于是赶快印好钞票给政府。政府就会拿这些钱买水泥、雇用劳工来铺路。央行印出来的这些钱，也就以买水泥和雇用劳工的途径流入市面。

· **民间银行来调头寸的时候：** 当然，民间银行缺钱不一定非得跑去找央行借钱不可。先发个文件给隔壁邻居（银行），要是人家不愿意或能力不足的时候才会转而向央行商量。如果央行答应借钱了，那么这些钱就会流通在市面。

- **外销增加的时候：** 假设我们外销了很多商品给外国，赚了很多的美金。美金固然重要，但要发薪水给员工的时候还是得换成韩国钱币。但是，换钱的这一家银行不见得一定就需要美金。银行就会拿着这些钱到央行去兑换成国内钱币，如此美金就集中在央行，从央行金库出来的国内钱币就开始在市面上流通。

### 2 脱胎换骨"储蓄"——重新诞生的保证金通货

假设整个韩国拥有的钱只有1 000块，而这些钱都在李梦龙手上。这时候韩国的这些钱以专业的术语来说，就是通货量是1 000块。

可是，李梦龙却把这些钱都带在身上到处跑，让人不免担心他要是遇到扒手那可怎么得了？又怕哪一天多喝了几杯，会不会碰到搀扶扒手，真是让人坐立难安。最后，李梦龙把这些钱都拿到银行去存起来了。这个时候，韩国的总财产依旧只有1 000块。

除非银行是笨蛋，不然不太可能把这1 000块原封不动摆在金库里，而是懂得借给需要的人再赚取利息。虽然恨不得把1 000块全数借出去，但是以防李梦龙又回来把钱要回去，所以总得留着足够应付的钱。1 000块当中，银行或许会留下300块以备李梦龙回来提钱去买红豆饼吃，其余的700块再安心地借给别人赚利息。

也就是这种情形会发生惊人的事情。李梦龙把钱都带在口袋的时候，韩国的总财产也就只有这区区1 000块。可是，当李梦龙把钱存在银行，而银行从这1 000块当中的700块以月结的方式借给月梅的那瞬间，韩国的实质通货量就增加为1 700块钱了。李梦龙可以随时提领的1 000块和借给月梅的700块，全部加起来共有1 700块。

事情并不会就此打住。向银行借了700块钱的月梅，深恐带在身上会搞丢了，所以她也把钱存进就近的银行。因为没必要把现金都带在身上，只要在需要的时候用提款卡到提款机提领就行了。银行再次将月梅存进来的700块当中留下200块以备月梅用提款卡提领，其余的500块就借给钦差。

这个时候，通货量又再次增加了。李梦龙可以使用的钱1 000块，月梅可以使用的钱700块，钦差可以使用的钱500块统统加起来，韩国的通货量变成2 200块了。

保证金通货——由存款重新诞生的钱

刚开始，韩国的总财产只有李梦龙手上的1 000块而已，可是当李梦龙存在银行的那一瞬间，奇迹似的，韩国人民可以使用的钱量就增加了。以这样的方式产生的钱称为"保证金通货"，也就是指藉由保证金重新诞生的钱之意。

### ☆☆☆通货指标

为了正确测定市面上流通的货币量而设立的指标。跟随瞬息万变的经济状况，不断有新的指标被开发、被淘汰。通货指标有M1、M2、M3这三种。

M1（通货）：把等值1 000块的现金与存在存折里普通储蓄金混合的钱。存在存折里的钱，因为随时都能利用提款卡提领，故视为现金。

M2（准通货）：把储蓄性保证金（定期存款）和M1混合的钱。定期存款，也可以视急用情况予以解约提领现金。所以也包含在市面上流通的货币。

M3（总通货）：这个概念是不只银行，也包含投资信托公司等地方的钱。

# 重要的是金融市场的稳定

　　政府总是在担心金融市场以至于难以入眠。因为金融市场是背后操纵消费需求、投资需求、出口需求的汇率与利息居住的社区，深恐出现不良分子浪费社区的水，让汇率和利息的玉体受到影响，所以政府整日得怀着不安及操心。

　　事实上，消费需求、投资需求或外销需求的不安定，可以不用成为令人头大的问题。若投资需求减少了，那就由消费需求和外销替代上阵，无法外销就找消费和投资来顶住。不过，金融市场的不稳定则是另一种不同层次的问题。

　　过去亚洲金融危机国人深切感受过金融市场有多么重要！亚洲金融危机是国内经济史上绝不愿再记起的部分，不过为了应剧情需要，还是暂时将时间拉回那个时空吧！

　　造成亚洲金融危机有很多复杂因素，当中最重要的核心原因是，由于国际收支的赤字，造成美金不足。当时，韩国欠了很多的外债（欠国外的债。短期外债：约定1年以内归还而借贷的钱；长期外债：限期1年以上而借贷的钱；流通外债：指短期外债与1年内到期的长期外债），但却没有美金。外国银行深怕我们还不出钱来，一个个催促着要我们赶快还钱。接着，政府以"要钱没有，要命一条"的态势硬撑，发出求救的呐喊！

　　为了向国际货币基金组织（IMF）借钱救命，我们必须做出很多的牺牲。所有IMF的要求都必须唯命是从；叫政府把钱包收起来，政府就把钱包收起来了，叫我们勒紧钱的裤带，于是就赶紧把钱的裤腰带勒得死紧。此外，叫我们提高利息，就把利息提高。在这样的处境里，许多的企业倒闭了，跟着企业关门大吉，出现了许多失业人口。

结果，看起来没什么大不了的美金短缺，严重影响了韩国全国如陷地狱，水深火热。属于金融市场之一的外汇市场，就这样将整个韩国推入洪水猛兽的爪牙之中。

## 守护金融市场稳定的规章制度

金融市场的稳定比任何一件事都要重要，政府会动员所有可能的手段以及方法，来保卫金融市场的稳定。为了培育健康而完整的金融市场，政府动员的手段与方法当中，最具代表性的是"健全性规章制度"和"业务领域规章制度"。

健全性规章制度，是指为预防银行陷入不稳定状态而事先加以监督、干涉的行为。银行若是借了太多钱出去，政府就会予以制止别借太多钱给人家。"根据BIS（Bank for International Settlement，国际清算银行）基准，自有资本比例☆☆☆ 必须占8%以上……"这样苦口婆心、晓以大义，就是政府要银行别借太多钱给人家的亲切忠告。

不只如此，政府还要一一检查银行借出去的钱，若发现其中有赖账可能性极高的部分，为以防万一，告知银行应该事先准备好紧急准备金。

业务领域规章制度则是为了要让银行有银行的样子，证券公司有证券公司的样子，保险公司有保险公司的样子而加以制定制度。这是为了预防领域之间互相觊觎他人领域，起了贪念影响金融市场稳定而建立的制度。据说，近年来业务领域的力道有渐渐消弱的态势。

不久以前，若想加入保险就一定得亲自上门去叩门，而现在银行就可以加入了。如此这般，以利银行或证券公司贩售保险的制度，以专业的术语叫做"Bancassurance"，是银行"Banque"和保险"Assurance"的法语。

## 有趣的韩国经济史

1875年日本人驾着一艘"云扬号"悄悄驶进江华岛，对朝鲜人这么哀求："朝鲜！朝鲜！求求你们买我们的东西吧？"

接着，美国人进来了，英国人也来了，争先恐后地要朝鲜买他们的东西。世界围着朝鲜吵得天翻地覆。他们在自己国家里卖库存货还嫌不够，后来为了掠夺朝鲜的地下资源与粮食，还用尽了各种招数。19世纪就这么过了。

时光飞逝，日本人打退了众多对手，将朝鲜人视为自己的帮凶。而日本则是在朝鲜人家里，视线所及的物品统统放进自己的口袋里，就连一根手指也不放过，甚至将14岁的少女送进慰安妇队伍。朝鲜人终于忍无可忍，不得不反击。

长久以来，无数的人为国家牺牲了性命。众多身先士卒的牺牲者，让朝鲜终于找回了自己的家园和脚下黄土。最后，终于解放了。

可是，被解放的快乐并没有维持太久。朝鲜人自家兄弟之间开始内讧，在卧房与客厅之间画上一条中间线，各自为政。卧室是南方家的，客厅是北方家的。但是，不管是南方还是北方，身边都没有任何家当。当他们吵得天翻地覆的时候，所有的家当都早已碎的碎、破的破。而南方家和北方家分手之后，就和美国结婚了，也从此取了个新名字——韩国。

之后又过了许久，韩国人家里发生了重大事件。1961年5月16日，军人发动了武力政变。军人宣称要发展经济、消灭饥饿，可以为了消灭饥饿把自己所有的东西都舍弃。

不过，那样的方式有个问题存在——没半点家当的韩国人家里，就是把眼睛瞪得再大，也找不出任何东西。于是军人想到向外国借钱来盖工厂，生产物品卖给外国的方法，后来军人向美国人和日本人借了钱，用借来的钱赶紧盖了工厂，生产物品。制造完成的东西就卖给其他的国家。

恨不得能够卖贵一些，但实在都是些不起眼的东西，所以只能以非常低廉的价钱卖出去。为了薄利多销，只能降低原价。不论是机器、物资都是向外国人借来的军人，惟一能降低的就只有工人的工资了。这就是促成外销的开始。

不料发生了意想不到的事情，外销到国外的物品销路太好了，而人们就将这件事喻为〝汉江的奇迹〞。

就这样过了30年，这中间韩国人赚了很多钱，于是人们谈论着：〝现在我们有钱了，接下来应该开发技术，制造优良的商品卖个好价钱吧！〞

另外也有些人是这么说的：〝我们应该把赚来的利润，拿出来分给那些曾经为低工资受苦的人。〞

但是却没有任何人听进他们的这些话，靠外销赚进来的钱，都被财阀和他们的好朋友霸占了。财阀将那些钱全都拿去花在无谓的事情上。然后仍然用剩余的钱买自己想吃的、买自己想穿的，对于真正开发技术，努力挥汗工作的劳工，依然视若无睹。

又过了漫长的时日。有一天，突然间韩国人生产的东西卖不出去了。原来是泰国和菲律宾依韩国人的方式如法炮制，价钱也比韩国人的东西低更多。

　　财阀顿时如五雷轰顶，虽然想要以比泰国和菲律宾更低的价钱做生意，但是却无法这么做。由于投资不动产，使得地价太高根本无法盖工厂，又因为自身的金钱游戏，使得利息高涨无法借钱。长时间被财阀压榨的劳工，再也没有那么好说话。财阀虽然早预料到后果会很严重，只是当时认为不会那么快。而平时与财阀称兄道弟的政府，也不敢挺身而出替他解围。

　　这样的情形僵持不下好一段时间，这次换中国出来伸懒腰了。1980年开始，有意无意做做暖身操，静观泰国和菲律宾一举一动的中国，终于打定了主意，自己也要依样画葫芦赚大钱。充足的准备动作之后，自1990年起积极展开进入作业程序，东凑西借，将生产出来的商品以非常低廉的价格销售至全世界的市场。中国以比泰国及印度尼西亚还要低的价格销售商品。

　　当中国积极地将商品销售至市场开始，印度尼西亚和泰国见势就紧张了起来。做出来的东西都卖不掉，堆积如山。美国和欧洲还有日本无视于人家的窘境，直逼他们还钱。这下，印度尼西亚和泰国顿时都乱了手脚，想不出办法来。

　　正当在这个节骨眼，韩国人家里发生了一件怪事。一向好端端的财阀们，一个、两个相继倒下了。本来看来稳如泰山的财阀们因为饥不择食吃了太多，体积变得太庞大，连自己的手脚都没法好好管理了。各个财阀倒下之际，银行也都开始失去平衡感。银行一直都只着眼在财阀壮硕的体态，毫不迟疑地借钱给他，深信不疑，现在看到财阀居然应声倒下，银行于是被天大的冲击所包围。

　　事件层出不穷。借钱给印度尼西亚和泰国差点被倒债的美国、欧洲以及日本，这会儿转而狐疑韩国会不会倒债〔不履行债务（Default），指没有还债能力的状态，除了耍赖"把我给杀了吧！"之外，没有其他还债办法时的做法〕？韩国人看来比泰国人健壮，但是见到众多财阀倒下，银行站不稳脚步，于是决定不再借钱给韩国人。

继续用恐慌的眼神看着韩国人的美国、欧洲和日本，有一天都异口同声的要韩国归还所有曾经借用的钱。韩国人心里暗忖"不妙"，因为韩国人的保险箱里当时连10块钱都拿不出来。美国、欧洲和日本不断催促着还钱，没钱又无力的日子无止无尽。若是照从前的性子，早就以"把我给杀了吧！"的态度来耍赖，可是这一次实在没脸这么做。

1997年12月的某一天，韩国人终于向IMF申请了救济金融。在当时，韩国人只能向IMF借钱来一天一天地撑过去。那是个现在回想起来仍旧让人胆战心惊的危险时刻。韩国人莫不个个认为，不能无止尽地过这种窒碍难行的日子，一定要重生。

过不久，政府、财阀以及劳工在韩国人家里齐聚一堂，协商着再次合作的决心，可是大家的意见始终没能一致。财阀并不愿意让自己的体型缩水，而对劳工而言，求得三餐温饱才是世上最重要的事。这两个人的争吵激烈难平，一直到20世纪末的夕阳西下之时仍然没有停火。让人不免认为，也许永远都不可能有和解的一天。

然而就在某一天，双方互相牵着彼此的手，决定向未来重新起跑。领悟了——有你就有我，没你也不会有我的事实，互相和解了。21世纪的太阳才升起没多久，为了创造神话，韩国人重新起跑了。

## ☆☆☆☆BIS自足资本比率

（**BIS Capital Adequacy Ratio**）由国际清算银行制定的有关贷款的方针。银行用来支付贷款的钱，是本身的钱加上客户的存款而来，而这套方针是要求银行单纯以本身的钱做贷款。在总贷款金额中，银行本身所占比例必须是**8%**以上，才能被认定是运作安全的银行。

# 6 在小吃店遇见有钱人的故事

## 投资金融商品，应先考虑利息

把钱拿去存在银行里，银行就会发给你存折作为证明。把钱存在银行的举动，以另一个观点而言，是银行为了募集资金而向我们出售存折。简单地说，银行为了向我们出售普通存款、活期存款、定期存款等这些取名特别的商品，而我们支付金钱当做买下这些东西的代价。

很会赚钱的银行，可以说是懂得开发客户期望的金融商品再销售给客户的银行。销售比其他银行更好的商品，自然就能聚集人气，银行也就从中赚取利润。银行的各种存款称为金融商品，正是基于这样的原因。金融商品，就是为了货币流通而销售的商品之意。

投资金融商品，重要的是利息。如果目前的利率是10%，而未来的利息有可能下跌的话，应该尽可能加入长期金融商品。1年期限的金融商品，在1年的期限内能够领到10%的利息，若加入的是3年期限的金融商品，那么在未来的3年里，都能领到10%的利息。

假设目前的利率呈下跌现象，这时候若加入短期金融商品会如何？刚开始可以得到10%的利息，但是期满领回的时候，利息可能会从8%掉到2%，造成损失。

接下来反方向思考。若目前利率只有2%，而在未来利息有上升的态势时又该怎么做？这时若加入了短期金融商品，就必须时时注意江湖上的动静。如果一切如想像中利息真的上升了，那么1个月之后就可以将领回来的钱，找个利息更高的金融商品再存起来。

那么，目前的利率只有2%的情势之下，加入1年以上长期金融商品时又会如何？不管利率是5%还是10%，这时候只能静观其变了。当然，可以中途解约领回资金，再找个新的金融商品加入的方法，但是也有可能必须归还银行在这段时间里支付的利息与中途解约利率之间的差额。因此，加入金融商品之时，最好深思熟虑再决定。

第七篇

# 供需——另一道曙光

濒临灭亡边缘的国家，一旦吃了凯恩斯
开的处方"需求"之后，
马上就能像没事的人一样活蹦乱跳。
因为，凯恩斯就是经济学的准则。

# 需求与供应，两者同等重要

## 成春香大赚一笔！

成春香的年糕小吃店大获全胜。春香忙得不可开交，外送的订单络绎不绝。只够挤2～3个客人的店内，客人更是大排长龙。春香认为这一切的成功全都归功于自己的美貌，而李梦龙更是主张这全都是老天感动于自己一片丹心的爱而送下来的礼物。Anyway，年糕小吃店的成功，为春香带来许多物质上的富有。

不过春香的心里还是有份无奈，她和李梦龙还有厨房阿姨，即便日以继夜工作，每天能够做出来的辣年糕最多也只有100碗。以这样的情况持续下去，就算外送生意再好，店里客人座无虚席，一天里能卖出去的还是没能超过100碗。假设1碗辣年糕卖1 000块，那么即便一天的生意再好，也不会超过1 000块×100碗＝10万块。

店刚开张的时候，春香心里还祈祷着只要不倒店就好，不管怎么样都为了把一天生产量100碗给卖掉而四处奔走外送，李梦龙甚至到处发宣传单拉拢客人，为找寻100碗辣年糕的需求而含泪奔走。然而真正实现了卖光100碗的心愿之后，春香开始起了贪念之心，她希望能够成为更有钱的富人。

那么接下来春香该怎么做？最容易想到的方法是涨价。将原本一碗卖1 000块的年糕涨到1碗卖2 000块就行了☆。不过，辣年糕小吃店到处都是。就算春香再怎么闭月羞花，也不可能有愿意花2 000块吃1碗本来只卖1 000块年糕的傻瓜。可能有1～2个看在春香美貌的份上愿意花2 000块吃1碗，但是不可能整村的人都会这么做。

如果不能涨价，那还有什么办法可想？只好增加辣年糕的产量。要是生意能一直这么好，1天卖个200碗并不成问题。只要以后比现在更早起床，更晚打烊，不要说是200碗，就算是300碗也都能卖个精光。

可是，照目前的人力和设备，想要做出100碗以上是不可能的。若想增加辣年糕的产量，首先必须扩大店面经营，厨房妈妈也再多找几个，炒菜锅也需要再买个新的。当然，生产年糕的机器设备也该多买一台。所有条件都就绪，产量增加为200碗，这些又全都能一天卖完的话，春香就有比以前多赚两倍的钱进口袋。若是将辣年糕的产量更增加到300碗，就能成为更有钱的富翁了。

## 遇见"供给三剑客"

自从凯恩斯主张需求的重要性之后，世界各国无不为增加需求而努力。濒临灭亡边缘的国家，一旦吃了凯恩斯开的处方"需求"之后，马上就能像没事的人一样活蹦乱跳。因为，凯恩斯就是经济学的准则。

**按照凯恩斯的处方笺，世界各国为了增加消费需求，减免了税金，也努力制作信用卡发行。此外，为了增加投资需求，取消了各种规章制度；为了增加外销需求，替企业打了一剂名为"外销支持书"的营养针。**拜这处方笺所赐，世界的经济也都免于大病，健健康康地长大。

可是，凯恩斯的需求处方笺只对受苦的患者有效。假如能够生产的量有100碗，可是卖出去的只有10碗的话，必须按照凯恩斯的话，为了增加需求而努力动动脑。

　　不过，一旦因为凯恩斯的处方笺发挥了效用，100碗都卖光了，那么凯恩斯再也没什么好做的了。其余能做的，就是为了创造伟大的富翁世界而增加辣年糕的产量了。也许有些读者看到这里，会觉得"一头雾水"而不懂我到底在说什么。

　　因为前面已经花了几个钟头，耳提面命"需求"的重要性，现在却又没头没脑地说"供给"也很重要。不过，我们可以单纯地思考一下——究竟是能够生产10碗辣年糕的国家富有呢？还是产量100碗辣年糕的国家才是富有？不用想，当然是产量100碗的国家是富有的。不管是做辣年糕、做米肠，或是制造汽车，只要是产量多的国家就是富有的国家。

　　为了成为富有的国家，我们该做的事情实在是太简单了。首先，短期内一定要全力以赴，想办法卖掉国人制作出来的辣年糕、米肠或是汽车。要是成功了，也不能安于现状，以长期性的眼光来看，必须增加辣年糕、米肠或汽车的产量。

　　举个例子，假设整个韩国境内的辣年糕小吃店一天的产量大约是100碗。碰到辣年糕销不出去的情况，就得要想尽各种手段和办法，一定要把100碗统统卖完。为达这个目的，甚至应该以最低的利息借钱给消费者去买年糕吃，为外销业者准备免费的船只。

　　一旦把100碗辣年糕卖个精光之后，接着就应该将辣年糕的产量渐渐增加到110碗、120碗、130碗，最少要能达到整个韩国的所有国民，每人一碗的供给量。为了实践国人想吃年糕，就能马上端出一碗，客人需求米肠时随时都能供给的这种富有世界，必须要能增加各种商品的产量。追根究底，实现富有国家的方法，便是长期地不间断增加商品的产量。

那么，该怎么做才能增加辣年糕的产量？换句话说，为了增加供给应该怎么做？

- **需要增加新的制作年糕的机器和瓦斯炉**：这些重要的生产必需的机器和设备就是"资本"。

- **需要人力**：就算你买的瓦斯炉有多名牌，没有厨房阿姨也就派不上用场。也就是说，需要的是"劳工"。

- **需要新口味**：瓦斯炉、厨房阿姨都很重要，但是为了更倡导辣年糕文化，必须要不断开发新口味的辣年糕。纯年糕的开发引起大众热烈回响的当口，只坚持红红辣年糕的小吃店，可能会成为辣年糕业界的落后分子。必须早日开发新口味的辣年糕，将年糕文化传播给大众。意即，必须不断开发新的技术。

资本、劳工、技术进步！当这三战士齐心合力的时候，就是韩国

141

年糕市场又向前跨进一大步，也就实践了让国人随时都有辣年糕吃的富国境界。如果说消费需求、投资需求、外销需求是保卫"需求"的三战士，那么资本、劳工、技术进步，可以说是保卫"供给"的三战士了。

☆**价格决定**

　　价格并不是由供给者或需求者单方面决定，而是随着需求与供给的量决定。

　　要买的人很多，商品供给不足，这时候价格就会上涨（供不应求）；相反地，商品很多，要买的人很少（供过于求），价格则会下跌。

# 7 在小吃店遇见有钱人的故事

 **让我们视10块钱如命，做个"钱诗人"！**

韩国男人在他们的一生之中，有两次化身诗人的时期。第一次是成为军人的时候。接获入伍通知，踏进营区的瞬间，男人就变成了诗人。一脚踏进营区的那一刹那，自由世界的一草一木，亲爱朋友的脸孔像是电影画面，全都涌现脑海。男人为了不踏上诗人之路，虽极尽能事，最终仍然得做一次钟爱战粮，把摸黑吃泡面当浪漫的伟大诗人。

韩国男人第二次化身诗人，是在陷入热恋的时候。虽然知道很幼稚，但是一旦跌进情网，就会不自觉回到"猜猜我在哪里"琼瑶式的思春期少年时光。明明知道会被浪潮冲刷掉，却依然在海边的沙滩上留下"春娇❤志明，哇啦哇啦……"诸如此类极端幼稚到不行的举动。而且，重新翻开束之高阁已久的文学大全，成了为写爱的诗篇，甘心滴漏到天明的浪漫派诗人。

然而，听说韩国的有钱人在他们人生的旅途当中有三次变身诗人的时期。入伍当兵、陷入热恋，另外就是为了致富做准备工作的时候。当他们第三次成了诗人的时候，不遗漏任何一天，都会按时写诗。天天把自己的爱承载于诗里，送给钱之女神。非要等到掳获女神的爱，不然绝不停止他们写诗的毅力。

不过让人惊叹的是，即便早已得到了女神的爱，他们的爱情攻势却不曾停止过。

有别于世上所有男人办理结婚登记之后对妻子的态度180度转变的共通点，这些致富的人的爱情攻势却不懂疲累。不管钱之女神有没有接受他们的爱，他们仍然每天完成爱之诗篇。

为了掳获钱之女神而写的爱之诗，那些致富的人写的这特别的诗到底会是什么样的内容？故事进行到这里，读者朋友们一定开始这么想了——

"这家伙，脑筋有问题啊？"

也许你这么想是对的。钱之女神，更夸张的是，说什么一旦钱之女神接受了爱，有人就能变成有钱人。甚至你还会觉得这样的说词真是荒谬到极点，觉得非常可笑。

那么，现在开始回想一下在你生活周遭的有钱人。如果你找不出适当人选，那就去想想你曾经看过的书籍里介绍过的有钱人物或各种大众传媒。你可以从中发现，那些人都有个共通的特性，他们一定固定每天都写下某些内容。没错！就是账簿，有钱人一定每天都记下自己的消费明细。即便只是花个10块、1块，他们也一定把它们记到账簿里。而有钱人每天都在写的爱之诗篇，正是账簿。有时候叫做金钱出纳簿，有时候又叫家计簿，但真正的名字叫做"给～钱之女神的爱之诗"。

想像自己就是女神，怎能忍心拒绝爱你每一根头发、不错失你任何一丝呼吸的爱慕者。10块、100块，都绝对不是小钱，而这即是女神的每根头发、女神的每一丝呼吸。疏忽女神的头发与呼吸，你绝对不可能掳获她的芳心。做个为一根头发抛开自己生命的真正诗人，最终，我们才能成为富有之人。

第八篇

# 幸福，也需要成本

一旦外国人在国内盖了工厂就会需要劳工，在他们雇用劳工之后，
国内的失业率就会下降，接着国民收入就可能提高，
国家也就增加了富裕的机会。

# 钱滚钱就对了

生产所需的各种机器和设备，以专业术语来说称为〝资本〞☆。关于资本的重要性，就算讲到舌头都抽筋也一点都不过分。

即便厨房阿姨的厨艺再棒，就算春香的外送速度再快，如果少了制作年糕的机器或瓦斯炉，生意照样得停摆。当然，材料可以从别人的店里买回来，但是至少还得有瓦斯炉才能开始做菜，要有外送袋才能送外卖。

国内经济也是一样的。工人再优秀、科学技术再发达，若少了铁锤和铁钉，一样盖不了建筑物。不管是生产汽车卖、还是造船来卖，都需要有工厂和各种机器设备才能制造产品。说不定决定〝供给〞的要素——资本和劳工以及技术进步当中，最重要的还是资本。

这个论点也许见仁见智，但是劳工可能并不是多重要的要素。看看像非洲那些落后国家，过剩的就是人口，意即劳工。如果说依照人头计

☆资本

为了事业而投资的资金，是营业基本的要素。一般来说，资本包含人口、能力、教育等非物质性资本，与土地、建筑、机器、设备等物质性资本。

算富有的程度，那么世上最富有的国家可能就是中国或印度了。

　　技术进步也是一样的道理。今时今日，包含电视与新闻在内的所有媒体，处处都强调技术进步的重要性。可是，若想创造出 "机器人V"，还是得有技术开发所需的实验室以及各种实验器材。追根究底，技术进步若没有资本撑腰，也就不可能存在。

# 即便称为资本，也各有千秋

为了说明上的方便，我们将各种机器与设备统称叫资本，事实上，资本分成许多种类——货币资本、实物资本、外国资本、国内资本、直接生产资本、公司间接资本……琳琅满目。现在，马上就开始为读者一一做介绍：

## 用来制造"钱"的物品与钱——货币资本与实物资本

一开始，我们先来看看货币资本。货币资本是指生"钱"的钱。举例，假设在你的口袋里有1 000块钱。拿这笔钱去买个面包来吃，这1 000块就只不过是1 000块。把面包吃进肚子里，会因为感到饱足感而心情愉快，但是几个钟头之后，进你肚子里的这块面包经过消化，这1 000块也就沦落到厕所的马桶里。

货币资本 "生钱"的钱    实物资本

可是，如果拿着这1 000块钱去采购面粉、做成面包拿去卖，这1 000块就不再只是平凡的1 000块，而是会"生钱"的钱，意即成了资

148

本。用1 000块面粉做成面包，卖1 500块的话，扣除1 000块还多出500块。虽然没能立刻吃到面包而饥肠辘辘，却因为去买了面粉得到了500块的利润。"小额资本创业，哇啦哇啦……"这时候所说的资本，正是货币资本。

货币资本和实物资本，都是指"生"钱的资本。打个比方，在你眼前有一辆休闲旅游车。如果你只是把它当做出去游玩时的代步工具，那么这部车就只是平凡的消费品，意即，不过就是用来消费的东西。但是如果这部车子是用来载送客人赚钱的，那么这部车子就不再只是消费品，而是资本，因为它在赚钱。如此这般，**用来"生钱"的工具称为"实物资本"或是"生产资料"，也就是指把钱赚进来的意思。**

所以，资本大致上可分成货币资本和实物资本。不过一般来说，在经济学上所指的资本是实物资本，也就是生产资料。因为不论是向银行借贷的钱，还是向父母要来的钱，为了卖年糕致富，必须用来买机器、盖工厂。

## 是谁的钱——国内资本与外国资本

资本是依据它的主体是谁而分成国内资本和外国资本。国内资本指的是国人的资本，而外国资本则是指外国人的资本。外国资本又称"外资"，闲着没事就出现在报纸或电视新闻上口沫横飞的"外资法人，叽哩咕噜……"就是此类。

代表性的外国资本有"借款"☆☆ 与"外国人直接投资"。借款是指向外国借来的钱，外国人直接投资，则是指外国人为了直接在韩国盖工厂做生意而投资的钱。

149

## ❶ 向外国借来的钱——借款

简单地说，借款是指向外国借来的钱。落后国家发展经济计划所仰赖的最大支柱，就是借款。他们向外国借钱买铁锤和铁钉来盖工厂，工厂盖好之后，接着购买各种机器，雇用劳工，制作鞋子和衣服再加以外销。等赚了钱就开始还债，再利用多余的钱采买生活上需要的各种农产品或进口石油，把国民从贫困中解救出来。

**利用借款来实践富国的战略，如果能够成功，那是天大的幸运！但是万一失败了，整个国家就要跌坐债台上，不久就会卷进外债问题而困于水深火热之中。**南美各国会受困于外债问题，也就是因为通过借款想致富的作战策略失败引起的。

然而，通过借款可能会引起的不只是外债问题；更可能导致"经济附属"问题。美国或日本绝不可能免费借钱给他国，因为他们并不是等着收利息，所以会一一干预这笔钱的去处和用途。有时甚至是以愿意借钱给对方的温和姿态，暗地里却悄悄地施压要求购买该国的机器。

此外，一旦第一次买进美国的机器使用，后续就只能买美国的机器，工作才能正常进行。就算中途将机器的部分零件换成日本货，也很可能因为不符美国机器的规格而无法使用。

不单如此，员工早已熟悉美国机器，所以一旦换成新的机种，便需要很多时间来适应新的操作方式等这些复杂的问题也在所难免。因此，一开始用的是美国货，就只得持续使用美国货；用的是日本货，就得一直使用日本货，想要抽身并不容易，结果慢慢地就成了债权国家的附属。

在过去20世纪60年代，韩国为了促进"经济开发5大改革计划"，而向日本借款。随之而来的是，在日本的强压之下，含泪吃辛辣的芥末那般，被迫使用日本机器。当时的经济附属实情延续到现在，随外销量的增加，仍然需要大量引进日产机器。

## ❷ 外国人直接管理的钱——外国人直接投资

外国人直接投资（**外国人直接投资：直接设立工厂的新型投资方式，以及购买基本企业股参与经营的方式；外国人间接投资：并不参与经营，而是以短期利润为目的投资股票或债券**）的意思是指，外国人直接在韩国盖工厂、制作年糕或米肠而使用的钱。对于外国人直接投资，有赞成的人，也有反对的人。我们就先来听听举手赞成者的说法。

根据赞成者的主张，一旦外国人在国内盖了工厂就会需要劳工，在他们雇用劳工之后，国内的失业率就会下降，接着国民收入就可能提高，国家也就增加了富裕的机会。

除此之外，向外国借款的情况之下，就必须是借了多少就得还多少利息外加本金，但是让外国人在国内直接投资盖工厂、运转机器，根本不用我们给什么利息，更不用还什么本金。简直可以说是一石二鸟；还有，他们在国内设立工厂、引进尖端机器，那些在工厂工作的劳工，就能在不花半毛钱的情况之下，吸收国外尖端的技术。光看得来不易的尖端技术，让外国人直接投资不啻就是稳赚的生意。

另一方面，以否定眼光看待外国人直接投资的这一群人，他们主张180度全然不同的想法。根据这一群人的看法，外国人在国内盖工厂、引进高科技机器固然好，但是以长期的角度来看，这样的情形终归会让国内经济成为他国的附属。外国人在国内盖工厂，而工厂所需要的原料或机器，不用说都是引进外国的产品。

如果让这样的情形持续下去，国内的经济慢慢地将会附属于外国企业，等到回过头来想要抽身便为时已晚。不只是原料，连技术都是外国企业给予的，久而久之会失去自立的本能，难以靠自己生存的状态，也就变成了完全附属。

这些外国企业以无比的技术与资金能力将国内市场一一蚕食之后，接着在决定性的瞬间完全掳掠国内的经济。等到国内经济完全溃堤，他们就会露出本性，1碗年糕卖1 000万元也说不定。

## 直接生产资本与社会间接资本，
## 对生产是否有直接助益？

直接生产资本，是指诸如铁锤或机器，对生产有直接助益的资本。例如：不管是对制作年糕专用的机器、或是对料理年糕用的瓦斯炉，都是有直接助益的资本。

社会间接资本，则是指对生产产生间接助益的资本，又称"SOC（Social Overhead Capital）"。像电气设备、瓦斯设备、道路等，都属于社会间接资本。

想想看，要是没有电，就得靠人工转动制作年糕的机器。这么一来，明眼的人都看得出来，一天年糕的产量会快速缩水。还有如果连瓦斯也没了，还得烧炭火来煮年糕，如此一来客人会因为店里呛鼻的烧炭味而不再上门消费。不只如此，要是道路不通，导致原料无法及

对料理年糕有帮助

直接生产资本　　社会间接资本

时送达，就只能坐着干着急。像这样，如果社会间接资本不健全，就会影响年糕一天的产量。

社会间接资本，影响所及不只辣年糕小吃店而已。对米肠小吃店、汽车工厂、半导体工厂等全都深受影响。汽车工厂或半导体工厂都需要靠电力才能工作，道路保持畅通才能及时运送原料。

由此可以得知，社会间接资本虽然并没有直接的影响性，但是对于增加国内物质方面的富裕，却是不可或缺的资本。**如果国内的电气、瓦斯、道路等社会间接资本健全，那么生产所花的费用一定会减少，因为电气、瓦斯费用、原料输送费会降低的关系。**若生产费用减少了，从前只能做一碗的成本可以拿来做成两碗，于是我们能够吃的年糕量就增加了。

到了年糕量增加的时候，也就代表国家变得富有了。除此之外，随着生产费用的减少，国内商品在国际间的竞争力相对地会提高。产品的竞争力提升了，外销订单自然就会增加了。如此，社会间接资本对于所有的供给与需求来说，扮演着非常重要的角色。

不过，维持社会间接资本需要很多经费。想贯通一条从首尔（原名为汉城）到釜山的高速公路，可能花个100亿～200亿都不止，那是一笔超越民间企业能力范围的大数目。因此，长久以来加强社会间接资本方面完全被视为是政府的职责，政府也理所当然非常清楚这一点。**实践富有国家的境界，其奠基石正是社会间接资本，所以政府无惧于环保团体的反对声浪，坚持昨天、今天以及明天依然执行铺路的工作。**

不过，政府可不是一天到晚只会铺路、立电线杆。诚如前几个章节中提过的，政府不但忙着为市民办理身份证登记，还得赶去救森林大火。除此之外，更要抓小偷、保卫国家。需要花钱的地方不只一两个。最近听说政府和民间企业合力为加强社会间接资本而进行新的谋略——由政府出钱，而民间企业负责人力与技术，这就是新谋略的进行方式。这项工作究竟是成是败，至今还没有答案。

☆☆项目借款VS．计划借款

　　项目借款（**Project Credit**）指约定使用于建设像水坝或道路等特别项目而借支的钱，附加了诸如采购借款国家的材料等各种条件。一般来说，借款是指项目借款。

　　计划借款（**Program Credit**）：指国家借来自由运用的借款。

# 把资本存起来

## 在挖土机前，别铲土

很久以前，祖先明瞭资本的重要性之后，为了警惕后代子孙，于是留下了这么一句名言——在挖土机前，别铲土。

没错！我们的祖先真是聪明绝顶，训诫自以为是、不懂礼貌的后代子孙，还间接晓以大义"资本"的重要性。

假如徒手去挖土，就算挖整整一个月，深度恐怕还不到1米。但是如果手上有把铲子，情况可就大大不同了，一个月至少能挖到100米的深度。

这是藉由使用"铁铲"这一生产资料工具，让事情的成功率增加了100倍。可是，铁铲在挖土机面前简直就只是一个3岁小婴儿。利用挖土机施工1个月，很可能深度能达数千米。

不管是铺路、还是削平了山坡盖工厂，比起10个人力，不如一把铁铲来得有用；比起一把铁铲，更不如一台挖土机来得有效率。

为了实践富国境界，必须努力制造锄头和十字镐。如果还有多余的钱，就干脆连挖土机和推土机也做好。像这样，努力把锄头、十字镐、推土机和各种机器事先做出来，好好地堆放在仓库，这样的做法以专业术语称为"资本储蓄"。

决定到底是富国或是什么都不是只看有多少资本储蓄☆☆☆ 而定。想

155

想看，假如日本用铁铲挖土，美国用挖土机挖土，只有我们徒手拼命挖，试问要到何年何月才能把土挖好，开始盖工厂、做辣年糕的生意啊？

## 塑造会储蓄的大韩民国

想要储蓄资本，必须要有钱。企业要开发高科技锄具，生产高工业技术的推土机都需要钱，可是企业总是处于金钱枯竭的窘态。为了让企业可以安安心心地开发尖端科技锄具，我们必须努力储蓄。将我们的1块、2块都交给银行保管，银行就会把这些拿去借给企业，企业就可以利用这些钱开发具有新功能的尖端科技锄具。也就是说，我们存在银行的1块、2块经由银行到企业的手中，变成了挖土机或推土机。

藉由生产资料一点一滴的累积储蓄，我们国家的经济发展基础就越趋完善。总而言之，我们拿着10块钱一步一步走向银行的脚步，正是建设大韩民国走向富有国家的爱国之路。

● ☆☆☆储蓄与投资，经常收支之间的关联

　　若是储蓄少于投资，那么其金额的差异就会以经常收支赤字出现；相反地，储蓄多于投资，那么其差异就会以经常收支黑字出现。这样的意思是指，国内总投资所需的资源若无法经由储蓄完全补充，则必须向外国借钱。结论就是导致经常收支呈现赤字，增加了外债。

# 8 在小吃店遇见有钱人的故事

 培养能够致富的特别喜好

世界上有些人具有多种嗜好。以拍打别人后背为乐的人有之，梦想着世界和平乐于当义工的人也有。

这里有个世人都不知道的新乐趣。这种乐趣并不需要像搜集古董或集邮那样花钱，也不需要像踢足球或打网球那样需要摆动身体。没有人事先琢磨过的这种乐趣，它的名字叫做"金融商品搜集"，简单地说，这是一种致富的乐趣。

银行里除了有我们耳熟能详的定期存款、定期准备金以外，还有许多的金融商品。从今天开始，有空就到银行像集邮那样搜集"金融商品手册"。除了银行，也到合作金库或信托基金看看。还有，别忘了证券交易所。

然后，把搜集来的金融商品手册依自己的想法做出归类。进行分类的时候，先看看大大的广告标题，别把分类金融商品的工作想得太难了。当它是自己心爱的人寄来的情书般，想到的时候就拿出来看一看，久而久之，不但慢慢地就理解了，还能更有概念地对金融商品进行分类呢！

一如喜欢登山的人，会常看登山杂志，喜欢钓鱼的人，则是爱看有关钓鱼的信息通报。就像这样一点一滴累积那方面的知识，一旦时间久了连自己都不自觉地超越了基础，成了专家，然后有一天终于征服了阿尔卑斯山。

我们也要走向那样的境界。一有空就多看财经杂志上记载的有关金融商品的报道，日积月累之后你会发现自己对金钱的敏锐度提升了，也发掘出自己身体里致富的潜质。

想致富的你，若还没有特别的嗜好，不妨从今天开始培养"搜集金融商品"的兴趣，如果可以的话，也请家人一起寻找其中的乐趣。

第九篇

# 劳动力，才是最强大的力量

如果没有挥汗工作的劳动力，
任何形态的物质性的富有是不可能实现的。
因此，劳动力就是希望！

# 劳动力，就是希望！

比起只能生产10碗年糕的国家，能做出100碗的国家才是富国；比起只能制造10辆汽车的国家，能制造出100辆汽车的国家才是富国的事实，任谁都无法否认。人们明白致富之路重要的是资本，所以开始很努力地储蓄，然后，再利用那些钱制造出顶尖高科技工业机器。

不过，仍稍嫌不足。即便有100个无敌铁金钢Z，若没有铁头来操控，这无敌铁金钢充其量只是一堆没有用的废铁。无敌铁金钢Z想要以超帅的姿态翱翔天际，就得有铁头；4 700万韩国人想尝好吃的辣年糕，就得有厨房阿姨。此外，要制作闪闪发亮、辉煌耀眼的SUV（运动多功能休闲车），就得有劳动力。

这也就表示，不论是面包、白米、年糕、汽车、半导体，主要的是人。如果没有挥汗工作的劳动力☆，任何形态的物质性的富有都是不可能实现的。因此，劳动力就是希望！

## 15岁以上的人——劳动力

有能力从事生产的人称为"生产可能人口"。才刚呱呱坠地、连走路都还不懂的小婴儿，没有任何生产能力。要这样的小娃儿拿着锄具去翻土，能做出什么成果呢？应该把锄具拿给有能力翻土的人才是对的。

从经济学的角度，认为15岁以上的人才是有生产能力的人。15岁这

160

个年纪多少还嫌小，但是人到了15岁其筋骨已经壮大，也差不多开始明白地球转动的道理。也正因为如此，经济学上认为15岁这个年纪，已经足够担当建设国家的伟大工程而列入劳动力人口。像军人、主妇、学生这样，各自都有自己特有的职责而无法参与富国计划的人口，称为"非经济活动人口"。从国家、从历史赋予特别使命的一群人，即除却这些非经济活动人口之外的所有人，则称为经济活动人口。

那么，是否有人反问14岁青少年就不算是人吗？没错！他们不是成年人。**14岁也好、13岁也罢，只要还未满15岁的青少年，自始至终都不被看做是成年人。**我们称他们为"梦"或是"希望"。他们必须受保护，捧在手心。应该天天让他们吃山珍海味，眼里只能看美丽、漂亮的事物，因为一国的未来紧紧系在他们的身上。

红豆的妈受社会的冷漠和唾弃，并不是因为她是人家的后母，而是因为她丢了把铁锄给仍需要保护、爱护的红豆，把她赶到田野上工作。

☆**劳动力**

为他人提供劳动，再换取酬劳维持生活的人。

# 没有劳动力，不能活！

## 年轻的血液，就是国家的力量

有个名词叫做潜在GDP。这个东西呈现的是我们国家的资本与劳动力，还有，科学技术总动员可能制造出来的最大物质财富。换句话说，它是一个国家的生产，意即供给的能力。如同＂潜在＂这个用词所象征的，潜在GDP（**若说潜在GDP是指可能性，那么GDP就是指实际生产的物质财富的总和**）并不是实际完成的东西，而是指未来能够生产的量。我们在前几个章节提过的GDP，是指可能的生产量中实际的完成量。

例如如果韩国的资本与劳动力，还有科学技术总动员可能生产的物质财富是100块，那么韩国的潜在GDP也就是100块。可是，若由于总需求不足，实际上卖出的量只有10块钱的话，那么，韩国的GDP就是这10块钱。

凯恩斯之所以强调需求的重要性，他的理由也正是为了缩小潜在GDP和实质GDP之间的差异。明明有能力生产100块钱的量，却偏偏只生产10块钱的量，这就是国家的损失。因此，他主张为了把潜在GDP100块钱的量全部生产出来，就得增加90块钱的总需求。

那么，该怎么做才能提高潜在GDP？实现目标之后，还不是吃喝玩乐的时机，应该要为了提升潜在GDP扩张资本，雇用劳动力。此外，关于开发新技术也必须快马加鞭。

可是，提升潜在GDP的时候遇到了埋伏。扩张资本并不是大问题，想要扩张资本，需要有储蓄做后盾，而韩国的储蓄率不输给世界上任何一国家。科学技术也一样。科学技术的开发并不是一朝一夕就能取得成果，它需要几十年的长期投资才有可能看到美好前景，并不是马上做就能解决的事。

关于提升我们的潜在GDP，究竟是什么成了绊脚石？是人。不知从什么时候开始的，社会面临急速高龄化的局面。高龄化是指65岁以上的老人占全体人口的7%以上，是社会渐渐老化的现象。问题就在于韩国即将越过高龄化社会，迈入高龄社会☆☆ 这一事实。

也就是说，不是正在老去的"高龄化"，而是已经是"高龄"的社会。如果今日这样的趋势仍持续下去的话，据说到了2020年，全体韩国人口中65岁以上的老人所占比例可能会超过14%，成为名副其实的高龄社会。

随着社会的老龄化，有能力担当的年轻一代越来越不足的情况之下，韩国的潜在GDP正急剧下滑中。这样的现象如果还持续1～2年，韩国很可能会再度沦落贫穷的过去；仓库里空有100台推土机，却因为没有人驾驶而变为废铁。时至今日，我们已经不是活在"体力就是国家的力量"的时代，而是一个"年轻的血液，才是国家的力量"的时代。


# 我们需要有工作能力的人


**1** **提倡高生育率**

"不分男女，生两个恰恰好。"

"一个好女儿，可比人家十个儿子。"

只要是大韩民国的国民，多少都听过这样的言词。年龄约在20岁以

163

上的人，大概在营区或乡公所的布告栏都可能曾经瞥见过这样的字眼。万一都没有听过，那想必就是年纪还小的新芽。

但在前不久，从新闻报道中得知首尔市有个特别的政策。那个内容大概是说，只要生三个以上，那第三个孩子就由政府负责培育成有前途的韩国青年，要大家安安心心地多增"产"报国。政府对生很多胎的家庭给予福利，居然还送赠品，积极地推行生育奖励。

一听有赠品可拿就耳朵竖得老高的妇女们，究竟能生多少倒不是外人能知道的，看到政府表现如此积极，可见急需年轻的血液输入新的能量是眼前最要紧的事。

事实上，在20世纪60年代节制生育的政策是无法避免的。因为经济处于发展初期，过多的人口反而是累赘。举例来说，假设一个家庭里只有一个小孩，那么从爸爸所赚来的薪水10万块里扣掉3万块生活费、1万块教育费，其余6万块还可以做储蓄。

利用这些银行里的存款，可以去生产高科技机器，开拓荒地，将韩国推向富国之路。但是如果有10个孩子，那么赚来的钱统统都得拿来喂饱孩子，连10块钱都没得存。

非洲的各个落后国家经济发展失败的原因，这就是其中之一。即便有心想要存点钱搞搞事业，但是家中人口众多，什么也做不了。

大抵，人头成了包袱的国家，可以说就是落后的国家。经济有所发展，生活渐有起色，人们于是不太愿意生孩子。不知是否在身体力行古代先贤说过的"无子嗣，才是上八字"这句圣言，总之，生育率日趋下滑是不争的事实。

其实对一个家庭来说，究竟生还是不生，并不是那么重要的问题。

但是以国家的立场来说，非同小可！再说，若是以经济学的观点来看，这可会引起非常严重的问题。

简单做个思考。假设韩国过了50年没有半个小孩出生的岁月，这个时候，国内的平均年龄大约是80～90岁。一个平均年龄80～90岁的国家，要如何期待经济的发展、想像未来的蓝图呢？就像企业求生存必须仰赖不断开发新的产品；一个国家的生存之道，就是要有新生命不断传承延续，从先辈手中接下铁锄和推土机。

很不幸的！韩国的现况并非如此。据说韩国的出生率在全世界排名最低之一。在过去的2002年，怀孕就值得骄傲的大韩民国的女儿，每一个人膝下的子女数平均只有1.17。这样的数字超越美国、日本自然不在话下，就连以不生子女而闻名的欧洲各个先进国家也颇感汗颜。要是这样的趋势持续下去，到了2100年左右，大韩民国的人口会只达到目前的1／3水准——1 600万人。

1 600万人！突然感到汗毛直竖。即便现在的4 700万人口，仍然是屈居人口数水准之外，在美国、日本、中国面前大气都不敢喘一下，居然还会掉到只剩下1 600万人，能做什么呢？区区的1 600万人口，别说是13亿人口的中国了，连美国和日本的经济我们都无法望其项背。当然，没人能保证100年后的中国仍是13亿人口，但是向世界炫耀着最低出生率的韩国，关于人口减少的问题实在必须慎重考量。

为了防范这种情势的发生，一名女性最少也得生下两个孩子。只有这一途径才能让目前的人口数持续，若要增加人口数，则每一名女性需要生下三四个孩子。

**首尔市推广愿意负责第三个孩子的政策，政府之所以如此积极奖励生育的原因，不是只单纯为了扩张劳动力，也不是为了提升潜在GDP经**

济性的层次。随着扶养人口的增加而解救的社会问题，是防范国家竞争力下滑至最坏状态的一种应变对策。

**2** 提高经济活动参与率

确保劳动力最根本性的解决对策，除了努力生孩子之外别无他法。但是，这种形式的对策也有它的限度。对一个不愿意生小孩的家庭，政府能拿他们怎么办呢？又不能天天对他们施以灯火管制，也不可能回复宵禁制度，把先生、太太带领到温馨的卧房里。就算铁路边的小屋人家小孩特别多，在21世纪的今天，也没办法在铁路边盖上小屋请人住。

难道无计可施了吗？应该还有办法的。如果没了牙齿，可以用牙龈吃东西；没有铁锤，找个帮工来钉铁钉。仔细注意我们生活的周遭，发现身边来来往往的人还真多。其中不乏肯吃苦，努力烤面包、生产汽车的人，但是因为某些个人因素与公司环境上的制约而无法参与生产活动。办法就是活用这群人，把经济活动人口中被排除在外的主妇与军人投入生产线。

不是有人说过吗？说大韩民国的太太潜力是世界最强的。想让太太们投入生产线，有个问题必须先解决——那就是幼儿。要让主妇安心投入职场工作，必须准备安置幼儿的对策。有些工厂在厂内设立托儿所的做法，也正是基于这样的原因。

让军人投入也是个不错的主意。没有哪一种劳工比军人更不具生产性。坦白说，当兵两年期间在军中什么事也不用做。

男士们入伍当兵之后，第一个进行的工作便是挖地洞，而且，能挖多久就挖多久。等挖到没得挖了，隔日开始就是重新把土填回去。填好了之后，又开始挖呀挖。如果还有多余的时间，就什么事也不做，站着当木头人。就这样，在两年的时间里反复进行着同一件事。各位可能觉得很难相信，但这的确是事实。近60万个年轻男人，从不遗漏任何一天，每天都尽是做这些没产出的事情，不是只有两天，而是整整两年。

南北需要统一的原因，从这里也能大略看得出一二。南与北的统一，能让60万名年轻人从此放下手上的枪，利用那些时间烤面包、制造汽车。话又说回来，如果要防范不知何时才会入侵的、虎视眈眈算计着要侵略地球的外星人，当然不能让全数的军人都投入生产现场。

不过，要是真的哪一天统一了，那么至少可以从60万个军人减少到50万以下，其余的人力投入经济活动，那么，大韩民国一定比现在还要更有发展。

### ❸ 长辈，一马当先

老龄化社会，这字眼让人有种很不是滋味的感觉。听起来就像是整个国家老了，失去了活力，但这种担心并不是毫无根据的妄想，老龄化社会除了让生产性与经济成长率停滞之外，还带来各种社会问题。也就是老人的生涯以及他们的健康，与他们的福祉有关的社会性费用增加等。

一旦老人的人口数增加，年轻人的负担也就难免加重了。目前大概是每8～9个年轻人负担一位老人，但是到了2030年，可能会是2～3个年轻人照料一名老人。〔老年扶养指数：必须由年轻人照料的65岁以上的老人数／（15～64岁之间的人口数）×100〕

除此之外，随着老龄人口的渐增，其年金和社会抚养费用会增加，因而加重政府的负担。相对地，可以铺路、修水坝、立电线杆的费用就会紧缩，无疑会造成对建设富国方面的障碍。

话虽如此，也不可能从此对这块土地的老人家冷漠对待。老人们有绝对的理由受我们尊敬，以礼相待。在他们的身上散发出来的生活智能，以及各种难以想像的经历所深藏的潜力，是我们时下的年轻人所没有的。

有时候觉得老人家的想法、做法总是拖泥带水，令人闷得快窒息，但随着时间的流逝，回头想想，终于明白了他们的想法其实是对的，因为他们的想法是来自人生的智能。任凭此等珍贵的智能腐朽，是社会的损失。如果他们能够活用他们的智能，一定不输年轻人的魄力，成为经济发展很宝贵的助力。

老龄化社会，确实会带来许多社会问题。不过，若是能够找到方法有效活用他们的劳动力和智能，对于解决人口减少所带来的问题，说不定会有另一个重大的发现，例如银发产业［银发产业（Silver Industry）是指老人医院、健康食品等制造老人必需品的产业。取自老人银白的发色——Silver，其公司名称由此而来］。

**☆☆老龄化社会与老龄社会**

在全体人口当中，65岁以上的老人占有比例7%以上，则称为老龄化社会；超过14%就称为老龄社会。2000年的时候，韩国的65岁以上的长者比例是7.2%。

# 绝对恶势力，对抗失业

## 共同的敌人——失业

失业是指失去了工作岗位的意思。因为没有工作而徘徊街头的可怜人，我们称之为失业者。不过，可不是所有成天吃喝玩乐的人都叫失业者。就经济学的观点来说，并不把这些成天吃喝玩乐的人叫做失业者——充其量他们只是一群怠惰成性的懒人。

那么，经济学上什么样的人才叫失业者呢？**在经济学上，把一个有工作且为工作24小时拼命，却因为不被世界认同，最后无计可施地跌坐地上、失去活力的人叫做失业者。**

一颗好似一口吞掉熔矿炉般灼热的心脏，壮似能够把地球一手举起的有力臂膀，还有那足以踏上月球的有力双腿，却因为没有工作便成了行尸走肉的人们，就是指这些人。

失业，带来各种社会问题，不管是青年失业、还是退休失业，失业是一个家庭的坠落与一个人人格上的毁灭，是一种社会性的犯罪。

一家人的感情再敦厚，如果米缸里没有米了，和平也就随之消散了。因为，只有爱根本不足以解决饥肠辘辘的感受。

失业不但毁灭了一个家庭的和平，更甚而毁灭一个人的人格。自亚洲金融危机爆发之后，直线暴增的露宿者，并不单只是社会问题，更是失业这个社会的"毒瘤"导致人格毁灭的证据。在他们走上游民这一条路之前，不知道经历了多少尝试，流过多少泪？他们何尝不想靠自己的力量重新站起来？但是，失业这一社会的罪犯掠夺了他们人类最珍贵的所有，最后连自信也践踏了，终归将他们赶到路上。

游民的问题，是超过单纯的失业问题，挑战人类尊严的极度考验。失业这一社会的罪犯的行径，并没有就此打住。

韩国的失业，并不会只以韩国的问题而结束，它会招致整个地球的损失。根据外国人或在韩国有过教书经验的人说——韩国人非常聪明。

在韩国，上计算机补习班大概学1个月左右，大部分的学生上课都能听得懂老师教的。可是，在外国上1个月课的学生未必都听得懂老师教的，大概需要再上两个月左右才开始听懂一些。当然，这很可能是在外国吃苦学习归国的人，基于热烈的爱国心而盲目的信念也不一定，随处可见的新闻报道中可知，那些人的说法其实也并没有骗人。

想一想，像这样拥有金头脑的韩国人，成天只是吃喝玩乐的后果。那简直是国家的损失。外国人得学上2～3个月才学会做面包，韩国人只花了1个月，让这样的人才躲在房间里滚来滚去，怎能不说是种浪费呢？

结论就是，与其说〝失业〞只是毁损家庭幸福和个人人格的工具，不如说它不但中断了全人类物质性富裕的增加，更是有计划性地危害伟大韩国劳动力，任其腐蚀的坏家伙！

## 揭露失业的种类

### 1 景气不好所引发的景气性失业

景气性失业，是由于景气不好所导致的失业。举例来说，经济陷入停滞，正在挣扎、大喊救命。在混乱的经济中，企业所制造出来的商品无法顺利销售。

由于大韩民国的经济得了重感冒，商品销售量的下滑实在是正常不过。不但年糕卖不出去，就连令人信心十足的拉面销售量也出现紧缩的现象，而这时候的企业就会开始考虑人员缩减。非但只有辣年糕小吃店的董事长陷于这样的困扰，就连汽车工厂老板、半导体工厂社长也都陷入胶着状态。

硬撑到撑不下去，到了不得不下决心之际，终于开始解雇☆ 员工。即便很希望能继续任用下去，但是辣年糕卖不出去，也就没有薪水可发。站在年糕店老板的立场，这是不得已的做法。而年糕小吃店的老板所做出的决定，扩散到汽车工厂、半导体工厂，终于导致失业的波澜。

解雇的浪潮席卷大韩民国，问题变得越来越不可收拾。许多人因为没有工作失去收入，也就开始减少消费。暂时靠之前的存款勉为其难维持三餐，这样持续一个月、两个月、三个月……失业的时间越拉长，所有的储蓄都花费殆尽，再也没有多余的消费能力了。情况至此，辣年糕的销售量每况愈下，到最后，别说是实习生、就连厨房阿姨也被迫面对被解雇的命运。

有没有办法可以帮助染上重感冒而咳嗽不已的韩国大病痊愈，使经济再次健康起来？该怎么做才能预防大韩民国因越来越严重的景气性失业，陷入昏迷的危机？我思，故我在。找出景气性失业的原因，解决之道其实并不如想像的那样难。

景气导致的失业原因可以分为很多种，其中最大的因素就是总需求的不足。韩国人民不再爱吃辣年糕，克林顿也不再瞧曾经那么爱吃的辣年糕，而爱上了日本的寿司，所以辣年糕店的生意面临停滞的困境。

那么，解决之道在哪里？这实在很简单，只要利用前面提过的各种手段，提高总需求量就行了。因为实在是提过太多次，具体的方案也就不再多说了。如果还是记不起增加总需求的方法，那么就请以重会分手恋人的心情，回头看一下前面几个章节的内容。

**② 随景气结构而有所变化的结构性失业**

结构性失业，是随经济结构的变化而引发的失业。"结构"一词乍听之下，似乎是挺艰深的，其实它并不是什么多难懂的概念。

可以把它单纯化一些。大韩民国的人民由于太爱辣年糕，所以无时无刻不在找辣年糕。假设由于经济开始发达，人们再也不爱辣年糕，转而喜欢上米肠了。这么一来，专门料理辣年糕的厨师就会失业。也就是说，基于大韩民国国民对饮食观点上分类的需求结构，使得米肠替代了辣年糕，导致辣年糕料理厨师面临失业。当然，辣年糕师父也可以去学习米肠的制作方法，但是要熟悉一门技术需要投入很多时间，所以那并不容易。

而这样的结构性失业最大的特征，也就在于辣年糕部分需求不足导致失业。根据总需求这种景气性失业，只要景气好起来就会得到解决，但是结构性失业并不会因景气的好转而得以解决。因为已经迷恋米肠而远去的客人，很少还会回来找辣年糕；如同已经变质的旧爱，人们的口味一旦变了是很难回复的。

结构性失业另一个问题，在于这并不是一时疼痛会自动好转的疾病，而很可能演变成拖泥带水的慢性病症。景气性失业了不起就是几年，不用特别吃药，一旦景气复苏了就会自动痊愈。不管有没有按时吃药，只要捱个一周左右就会自动好转。而结构性失业并非几年时间就能搞定，它比较属于一拖就很可能几十年、持续承受痛苦的慢性病。简单地说，专业的辣年糕师父若不去吸收新的技术，很可能永远都是失业者。

众所周知，想吸收一门新技术并不是很容易的事。即便学得了新技术，为了达到企业要求的水准，可能得继续花上几十年的时间慢慢磨炼。当然，不能否定有些人天生特别聪明，能够在很短的时间内完全消化新的技术，但这是整个社会的寝曰，无法在短时间内解决，同时也是结构性失业的一大悲哀。

为了解决结构性失业，政府以补贴交通费与课时费的方式积极开办技能培训学校。不过，或许结构性失业最根本的解决方法，其实是在我们身上。我们必须自发性地为提升自己的价值而不断开发自我。必须日以继夜地苦读，以便将来不管我们得面临什么样的经济变化，都能坦荡荡迎面对敌。能够守护我们的，终究还是我们自己。

### ③ 劳资双方沟通不良而引发的摩擦性失业

"摩擦"指的是彼此之间互不买账，或沟通产生障碍所发生的问题。就像夫妻之间如果无法契合、沟通不良，就会天天吵架一样，经济方面如果发生沟通不良，也很容易引发事端。找工作的劳工、需要劳工的企业，因沟通不良而触发的就是摩擦性失业。

例如有一个炒辣年糕功夫一流的师父，为了想在辣年糕店工作而勤奋找工作。另一方面，辣年糕店是需要专业炒辣年糕师父的企业。这两个人如果沟通不良，就会发生失业的情形。找工作的人因为不知道哪里有辣年糕小吃店而四处无法就业，企业则是因为不知道哪里有厨师而迟迟无法雇员工，这就叫摩擦性失业。

经济学的观点上来说，摩擦性失业是没有治本方法的状态。景气性失业与结构性失业是无论如何都得解决的社会疾病，而摩擦性失业并不算大问题，所以不用太操心。满街都是辣年糕小吃店，但有人却迟迟无法就业，这只能说是个人为寻求更好的工作职场而进行的一种探索。因为与其勉为其难屈就不满意的公司，倒不如多花点时间搜集有关信息，找到一个更有安定性的工作职场。

话虽如此，但是政府并没有完全不予理会关于摩擦性失业的问题。为了提供劳工就职的机会，设立了保障雇用服务处，利用网络构筑雇用信息网，减少摩擦性失业，亦是政府非常竭诚的努力表现。

## ☆☆☆解雇

靠薪水维持生计的劳工，被解雇对他们来说，等于和死亡宣告书同义。所以，在法律上也有企业不能随意解雇员工的条约。

一般解雇：因疾病或其他因素无法执行工作时所受的解雇。

惩戒解雇：对于无故缺席这种违反企业秩序的行为，加以惩罚的性质。

整顿解雇：由于企业营运恶化或内部架构重新调整，在经营上不得已的解雇行为。不同于一般解雇、惩戒解雇，主要是由企业层的失误引起，所以解雇的原因或程序方面更加严谨。

不当解雇：不正当的理由引起的解雇。不过，"正当与否"的定义时常令人有暧昧模糊的争议。

# 9在小吃店遇见有钱人的故事

 ## 找个自己中意的工作

　　世界上什么时候最幸福？莫过于做自己最喜欢的事情的时光！早上讨厌起床，是因为必须去做不喜欢的事情，必须面对讨厌的上司、处理不想做的烦人工作。就算薪水给得再多，主要是因为有自己不喜欢的事情等着去做，才会觉得要钻出被窝是件苦差事。

　　想要致富，就必须去做自己喜欢的事。硬要完成自己讨厌的工作，是绝对不可能致富的。如果从事不喜欢的工作就会累积心理的压力，为了减轻这份压力，可能会需要花很多钱。甚至因为压力，在还来不及变成有钱人之前，你就已经疯掉了。

　　所有有钱人都有个共通点——那就是他们很享受自己的工作。懂得享受工作，钱自然就会跟着你。女神要找的是爱她的人。对于自己的工作保持自信，勇往直前，那么，有一天女神会突然来看你，在你的眉宇之间轻轻留下爱的印记。

　　就在今天晚上吧！好好地想想自己喜欢的是什么，做什么事情的时候最开心。也许，长期为生活奔波劳苦的你，很难想起自己喜欢什么，曾经有过什么样的梦！

　　不过现在还来得及。通常自以为机会已逝的时候，其实也是最容易想出端倪的时候。

　　前几年想从喜欢的工作领域快速致富，其实并不容易，但是现在可不同了，无论从事哪一种行业、从事什么工作，现在是一个可以藉由自己喜欢的工作来致富的年代。互联网的登场，为我们带来的是崭新的契机。

　　如果你在钩毛线的时候是最快乐的，那么就努力钩毛线吧！最好不要只是单纯钩毛线，有空就到书店挑几本专业的书回家参考，这样你就有机会致富了。喜欢登山，就努力登山，顺便多涉猎有关的知识，那么你的机会就更大了。

我们多少都听说过，关于利用网络致富的故事。这些人之所以成功了，并不是因为有什么秘密武器，他们只是努力做了自己喜欢的工作，这样而已。

架设钩毛线的网站而得以致富的人，善用自己的经验卖孕妇装而致富的人；沉迷网上冲浪而制作网页致富的人，这些人都善用再平凡不过的方式成了有钱人。如果说这些人有什么特征，那就是他们全都努力从事了自己喜欢的工作。更何况，发展网络事业并不需要花很多钱！

在这e时代，创业需要的并不是什么样的秘诀，而是要找到自己喜欢做的事，发掘自己可以比别人做得更棒的事。

# 第十篇

# 提升技术，是
# 另一个逃生口

所谓进步，指的是技术的进步。
那么，究竟什么是技术？
努力将遗传学促成的知识加以创造，
再开发出新种稻穗，也就是技术进步。

# 技术，才是最大的财产

## 靠量取胜，是有限度的

用一台瓦斯炉炒辣年糕，还不如同时用两台炒，产量还能更多。可能的话，多增加几台瓦斯炉，对物质财富的生产帮助更大；厨房阿姨也是一样的，只靠一个人，不比两个人对发扬辣年糕文化更有助力。投入更多的厨房阿姨，使整体零嘴文化向前迈进是合情合理的真理。

不过，有些必须小心的地方：瓦斯炉，以专业术语来说就是资本的投入，虽然增加是不错的方式，不过到达某一种极限的时候，反而有可能减少产量。同时使用两三台瓦斯炉虽然有助于料理的速度，但是如果超过数量，厨房就会变得拥挤，反而影响产量。

把这样的观点扩大到国家，也会得到同样的结论。为了创造物质财富，盖的工厂越多越有利，但是数千里的锦绣河山总不可能全都盖工厂？因为一旦国家都被工厂覆盖住了，所造成的公害会更加恶化，也会因此而引起其他的社会问题；换句话说，投资资本必须有个限度，因为一旦超出极限，过度的物质财富不但不会是生产的助力，反而可能会形成障碍。

劳动力问题方面，同理可证。一个劳动力制造一辆汽车，不知道何年何月才能完成，因为一个人是不可能操控所有的事情的，但如果是数十个人一起工作，分别负责轮胎、方向盘、引擎，可能只需要几天的时间就能完成了。不过一旦劳动力人数过多，也会造成产量的减少。例如一个只需要10个劳动力的工厂，却挤了20个人，理所当然会造成混乱而影响产量。

资本的投入也有限度，当劳动力的投入面临极限的时候，到哪里找逃生口呢？能够引导国家走向先进国的救世主到底会是谁？慢着！真的有这样的人存在吗？就算没有，也别太颓丧。诚如我在前面提过的，信或不信都不是那么重要的事。真正的关键是，只要相信，事实就会是你所相信的那个样貌。

是的，的确有这一号人物存在着！国家的救世主！那人的名字就叫"进步的技术"。来，让我们以虔诚的心，把手和脚洗干净，再把为特别的日子暗藏在衣柜深处的那件衣服拿出来穿上。为迎接救世主，让我们带着愉悦的心情参加这场会议吧！

## 主导世界进步的技术

所谓进步，指的是技术的进步。那么，究竟什么是技术？在经济学上所指的技术，是人类利用各种已知的知识，尽其所能加以运用于事业方面，简单地说就是能够赚钱的能力或才能。以这样的定义而论，技术的进步，也就是碾米机机能的进步，意即努力将遗传学促成的知识勤力加以创造，再开发出新种稻穗，也就是技术进步。

将电力与电子的知识放进碾米机，努力转动之后就创造了叫做计算机的这个新文明，而这也是技术进步的明显例子。

造就了这样的技术进步，接下来会发生什么事？投入同样的人力与资本，可以让产量比从前增加。简单地说，如果利用遗传学的成果改良稻穗，投入和从前一样多的人力，米的收成可以比从前增加好几倍。此外，利用计算机可以把一个人所能创造的物质财富增加很多倍。若是利用这样的论点开发出节省劳动的技术，那么它就叫做＂劳动节约型技术进步＂，开发出节约资本的技术则是称做＂资本节约型技术进步＂。

技术进步的重要，主要由于劳动和资本的盲目投入，会造成物质财富增加方面的极限。即便韩国人民再有过人的战斗力，也不可能是中国13亿人口的对手。目前为止虽然只有中国，说不定哪一天印度也会闯进来。万一连印度也以人口数推挤上来，单凭5 000万人口是不可能取胜这场游戏。即使南北合力，也没有赢的希望。

资本的投入也是这样的道理。总不能无止无尽，就靠铁锤和铲子死命地挖土。铁锤和铲子越多越有利，但也不能只是为了挖土而去毫无计划地大量购买铲子、大量投入人力，这是一种很没大脑的举动。就算用铲子挖了数百年，只要无敌铁金钢挥个拳头，瞬间就可以搞定。所以说，别只顾着用铲子挖，而是还要努力开发技术才是聪明的。

# 担当"科学技术"的未来

## 我们的生命——科学技术

1592年倭寇入侵，像一群夏天赶都赶不走的蚊子，嗡嗡作声，扰人清梦，而这一次他们是有备而来。过了数百年没碰过这种害虫的日子，老百姓顿时拿不出主意。如果只是一两只还可以用灭蚊剂解决掉，可是一下子涌进这么多，实在让人眼花缭乱，想不出对策来。这群蚊子团攻破祖国每个角落里的灭蚊香，横扫向前。放在釜山镇的灭蚊香、放在东莱城的灭蚊香，完全发挥不了作用。

这时候，申砬将军在朝鲜的"弹琴台"摆下叫做背水阵的蚊帐，英勇正面迎敌，但却惨遭失效。眼见倭寇冲破灭蚊剂和灭蚊香的防卫，连最后一道防御网都毫无抵挡能力，我们的先祖于是不得不整理行李准备逃跑了。因为被疯狂的蚊子叮了是无药可医的，向北方的逃亡之路，无止无尽。

正当三千里锦绣河山即将落入倭寇的手中，变成他们的新居那一刹，那个人出现了。一手拿着"乱中日记"，另一手握着大刀的猛将——忠武公李舜臣！在李舜臣将军的大刀下，倭寇根本没机会耍威风，就一个个跳进深深的大海里了。

倭寇有个秘密兵器叫"鸟铳"，但是面对朝鲜的天字铳筒（朝鲜时代所使用的火炮。铳筒的名字按照大小、火药的重量、弹药的数量、射

181

程，分为天、地、玄、黄等名称，其中天字铳筒最大）是完全无力招架，只好个个都夹着尾巴跑掉了。倭寇的船只，在李舜臣将军搭乘的朝鲜尖端科技的结晶＂龟船＂和＂板屋船＂的威力之下，无情地被炮轰得支离破碎。占据在＂闲山岛＂、＂鸣梁＂、＂露梁＂这些地方的倭寇也随之被歼灭了。

在这一场＂壬辰倭乱＂的胜仗当中，李舜臣将军所发出的灿烂光芒，实在无法用三言两语形容得了。＂摆开鹤翼阵＂（鹤翼，意即形状像鹤的翅膀的阵势，以包围敌军的战术），一声令下，象征智能的战略与技术究竟有多么伟大，我们深感五内。但是，能够让李舜臣将军放心大胆地喝令声下达＂鹤翼阵＂，是因为背后有强大的支撑力量——代表朝鲜科学技术的高智能产品，龟船和板船屋。

假如没有龟船和板船屋，徒有鹤翼阵可能也发挥不了什么作用。＂壬辰倭乱＂的确是因为有李舜臣将军才得以胜利，但是制造出龟船亦是朝鲜科学史上的一大战绩。

长久以来，大家都误以为龟船是李舜臣将军发明的，事实上并不是，而是朝鲜的科学技术才对。如果没有朝鲜的科学技术为后盾，说不定＂壬辰倭乱＂的胜利是不可能发生的。追根究底，是李舜臣将军的胜利，科学技术的胜利。

＂壬辰倭乱＂之后历经400多年的今天，我们深陷比＂壬辰倭乱＂更狂猛的危机氛围之中，那就是经济战争——这个21世纪的新世纪战役。＂壬辰倭乱＂是与日本的一对一对峙，但经济战争可能爆发的是全世界所有国家之间的厮杀。一直以来我们无法竞争的中国，只要他们一个拳头，就能让我们瘫在地上爬不起来，现在，他们正式向我们下了战书。

不对！也许中国早已不想胜过我们。发射人造宇宙飞船，还大嚷着将在最快的时间内在火星插上五星红旗的中国，说不定早不把我们当一回事。

只有中国是这样想的吗？不是，还有日本也是如此。韩国的工厂里用的全是日本货，万一日本不卖机器给我们，我们当场就得无用武之地。这也就是有人说把从中国赚来的钱都奉献给日本的原因。我们努力生产手机卖给中国，然后把赚来的钱又统统拿去买日本人的机器。政治的角度该怎么解释，没有人想过，但是以经济的角度来看，说我们仍然是日本的殖民地是一点也不过分。

那么中国和日本是不是很伤脑筋呢？也没有。美国和欧洲，还有东南亚，全世界的所有国家，正处于一触即发的经济战争的备战状态。

要想胜过这些人，只有一个办法——那就是科技。就像朝鲜制造龟船的科技，领军打赢了一场大获全胜的战役，为了在21世纪的经济战争里全身而退，我们能寄托的就只有科技。可能会打得遍体鳞伤，但是至少是一场有胜券在握的仗。

日本已经跑在我们前面了，中国则是发射人造宇宙飞船，美国已经到了火星了。不过，我们可是拥有全世界顶尖头脑的民族。只要相信自己，没有办不到的事。2002年的世界杯，靠的是我们自己的本事，没有人想到我们能闯进四强，不过我们确实展现了实

要以科技取胜！

力，创造了神话。

长久以来，我们只是对自己没有自信。只要去做就可以的事，我们却没有胆识去尝试。希丁克教练寄予我们16强的可能性，而我们就是坚信了那样的可能性，无所畏惧地向前踏出了脚步。然后，我们得胜了。

现在起，我们做得到。日本、中国、美国，我们都勇于挑战。这次，不是踢足球，而是要以科技与他们一较高下。

## 为科技强国而努力的事

### 1 别计较研究开发用的经费

科技强国！很棒的名字。不过，科技强国可不是光说就能练就的事。更不是一勺净寒水，向老天祈求就能搞定；抓只猪来虔诚祭拜也不会见效。真正需要的是，不断的研究开发以及不吝于投资的研究经费。

那么，作为科技之母的研究开发的真面目是什么？研究开发的专业英语术语是R&D（Research and Development）。基础研究可以分成研究和应用两大类。基础研究，顾名思义就是指基础研究的领域。物理、化学、数学就是基础研究的范畴。研究世上万物的真理的物理，研究世上万物的变化与构造的化学，还有文科学生闻之丧胆的数学等等，这些都是基础研究范畴的学问。

应用研究，则是运用这些基础研究所造就的成果。通常名字里有"工学"两字的学问，就是它在活动的范畴，像计算机工程学、电子工程学的学问，就是在应用研究的领域里奔驰的选手。

所谓的开发，可说是以基础研究与应用研究所造就的知识为背景，运用于商业性产品的制造的一种过程。我们说的"科学技术的发展，哇啦哇啦……"，在这样的话里所指的科学是完全不涉及商业性的，一种纯粹的研究成果，属于基础研究的范畴。而所谓"技术"的领域，则是具有商业性质的，属于应用研究与开发领域。

也就是说，通过基础研究发展科学，通过应用科学与开发藉以实践发展的可能性。没有人不知道，为了发展科技，必须以视死如归的心情才称得上是研究科技之母的"研究开发"。政府关于这一点比谁都明白，因此政府对这方面的大方投资，不输给世界土任何一个国家。GDP金额的2％当做研究开发的经费，基本上已经足够应付了。

韩国对于研究开发方面的投资，差不多也称得上够格。以2001年为基准点来看，GDP中研究开发经费的比重是2.96％，位居世界第六位。从绝对金额来看，也有200亿美元的投资额，位居世界第七位。

但是还不到满足的时候，比起美国、日本、中国，我们这样的投资金额其实也只是小巫见大巫，说不定不足的部分更多；美国至少2 820亿美元，日本则是1 020亿美元，中国有600亿美元的投资金额。这样的情况，不能只看投资金额上的差异。日本和美国在过去数百年间，早就对科技开发的研究砸下比我们还多的经费。中国虽然落后美国和日本，但仍然以比我们多两倍的经费砸在投资科技开发上。再说，13亿的人口中就算只对聪明的人做集中投资，其成果也一定不会输给美国和日本。

## ② 拯救理工界

"拯救理工界！"这句话，听来令人有所感触，而这理工系是理科大学和工科大学的结合名词。一般来说，理科大学又称为自然大学，是研究自然科学的地方和物理学系、地球科学系、化学系、数学系等院系同类。和电子工程学系和电气工程学系相同性质的地方，是工科大学。

准备大学入学的考生当中，大多数学生的志愿是人文院系。入学自然院系的新生不到全体的20%。才不过几年前，当时选择就读自然院系的比例还有40%，如今，却只有20%的新生选择自然院系。还有更令人鼻酸的是选择自然院系的学生，宁愿跳过理工院系，他们都尽可能把脚步迈向医学系、临床治疗系、中医等院系。

为什么这些学生会做这样的选择？原因就是从医学系和临床治疗学系毕业至少不怕没饭吃，但念完理工出来就得担心生活了。听说世界上所有的意识形态当中，最强悍的是＂吃饱才能活症＂，就是这个东西阻挡着学生们走向理工院系的脚步。天天都在担心什么时候会被解雇，这就是研究背景出身的命运。自从经济开始衰退，最先被赐毒酒的就是理工院系。

不只如此。就算以不怕死的精神继续待下去，薪水总是那可怜薄薄的一袋。当初那些比自己成绩差、不会念书，特别是没能力念数学或科学院系，转而进入文学系就读的同侪，如今薪水没事就涨，还有年终奖金可拿。因此，这些当初被老师或学长诱拐到工科就读的人，如今对当初的那些人只有怨恨。

少数理工出身、所幸混得还不错的人，开始编织起出走的美梦！希望能从大韩民国出走，到礼遇理工院系出身学子的国家，这些人居然占一半以上。韩国除了科学技术方面，再也没有其他机密的门槛，如果连仅存的少数理工出身的学子也出走的话，韩国的命运将变成什么模样？

我们急切需要跟上中国和日本，还有美国所投资的研究开发经费的差额，却缺少需要的人手——理工院系出身的人。就连汉城大学也把理工院系喻为庭院深深，脚步不伸。几经错愕于这种笑不出来的戏谑，也是今日韩国的写照。

　　大韩民国难道只能这样放弃吗？那个信誓旦旦，想把国家推向富国世界的梦，难道真要这样束之高阁吗？还会不会有人乘着＂龟船＂和板屋船，拯救祖国于水深火热之中呢？我以为理工院系出身的学子会是第一个救祖国的人，难道那样的信念也是错的吗？

# 10 在小吃店遇见有钱人的故事

 ## 真正致富的课题

世界上什么最美味？偷咬一口的苹果、还是情人的红唇？

有人说，世上最美味的是看到自己存折里的钱一张一张叠起来时，心头上的那股喜悦。更有人说，那是种超脱人间美味、无法形容的滋味。在嘴里悄悄融化的甜甜感受，尝过一次就永远难以割舍。

被我们称做小气的人，就是尝过那种滋味的人。"小气鬼"这样的字眼里暗藏着世人的妒忌和不屑，虽然很刺耳，但是存折里一叠叠的钱，那种滋味实在太好，所以根本无法停止储蓄。

除了储蓄，世上还有许多不输这滋味的料理。那就是，发掘一个个的未知，那种得知的滋味，通常就是人们说的"课题"这类东西。听到课题二字，也许你的眉头又皱起来了。关于这一点，可是纯属过去经验的不快。听见课题这样的字眼，我们会联想到的不外乎就是考试，接着是国文、英文、数学。

但这并非所有课题的全貌，这些都不是课题。好比吃错了食物，我们的肠胃会不舒服，硬要念下不适合我们身体的课题，也会觉得思路混沌。的确，有一种课题很美味。有很多的课题在我们的头脑中徘徊不去，想起了美味会让我们猛吞口水。而我们的头脑、我们的心，所期待的就是这一课题。

为了成为世界首屈一指的环境优美的国度，去做有关秋枫落叶学的功课才是真正的课题；想成为韩国顶尖的舞者，去做有关凤山面具舞和半蹲舞的功课才是真正的课题；为了做出好吃的辣年糕，去做有关食用油和麻油的课题，才是真正的课题；还有，为了提供客人更优质的服务，去做有关心理学的功课，才是真正的课题。

想致富必须先进行的功课，是丢掉对于做功课这一工作先入为主的观念。我们需要好好地想想，过去当全世界借着科技的浪潮发展经济，为国民送上面包的时候，我们在忙什么？为什么我们只能屈居人下，甚至成为他们的殖民地。这都是因为过去我们做了错误的功课——以为"孔子曰，孟子曰"是一门真的功课。

　　时至今日，我们仍然是过去的模样，依然拼命背国文、英文、数学的答案，努力牢记TOEFL测验命题。把其中表现不错的人称为天才，称颂他们的名字，殊不知我们没能成为富国的原因，就是因为把这些假功课当真功课的事实。

　　千万别以为研究秋枫落叶、跳半蹲舞是丢脸的。真正的功课——拯救世界的功课，致富的功课，就是找到自己真正需要的去投入、去钻研。想致富，就去做有关经济学的功课，去钻研金融商品。你可以在地铁里大胆拿出财经报表做功课，别担心别人说太肤浅这种话，因为你做的是真功课。

　　这块土地上所有的有钱人，都是做过我们认为很肤浅的功课的人。想做出世上最棒口味的辣年糕，你就得先去看看食谱，去研究，并且在你认为重要的内容做记号，别在意旁人笑你连食谱都划重点。能够让我们致富，养活大韩民国的技术革新已经近了。开发新口味的辣年糕、开发新的料理方式，这就是技术革新。

# 第十一篇

# 政府在这儿！

为了救万名百姓于涂炭和风烛残年的危机，
世界各国的政府不分你我，
拔出了剑，开始跟随凯恩斯了。

# 政府，拔剑出鞘！

早先有个人乖乖听了亚当·斯密的话，安静地坐在角落为人民办理身份证，他，就是"政府"。心里想做的事情很多，但是找不出可以反驳亚当·斯密主张的名目，所以就只好努力地坐在角落处理身份证，当身体蠢蠢欲动、按捺不住的时候，他只能把脸藏在户口簿后，泪往肚子里吞。

终于在1936年的某一天凯恩斯出现了，和政府互咬耳朵、说悄悄话。他告诉政府，别一整天搞那些身份证和户口簿，国难当前就该拔剑出鞘，去击退敌人。并且让政府知道，无视于百姓的哀鸿遍野，只顾坐在户政事务所弄身份证简直是利敌的行为。

原本就蠢蠢欲动的政府，听到凯恩斯的劝诱，于是拔出了剑，丢了出师表。为了救万名百姓于涂炭和风烛残年的危机，世界各国的政府不分你我，开始跟随凯恩斯了。

## 确立政府的经济目标

政府为了将韩国推向世界顶尖的富有国家，昨天、今天都努力加班。为了实践韩国的富国境界，政府最关注的是"经济成长"。经济成长顾名思义，就是让国内的物质财富增长。如果去年国内的物质财富是白米10袋，而今年就必须成长为12袋，明年再成长为14袋，这就是经济成长。

政府第二个关心的目标是失业问题。即便国内物质财富有全面增加的现象，那并不代表每一个都能变成有钱人。有人有能力消费10碗年糕，就一定也会有人是连一碗都无法安心买来吃。如此这般，连一碗年糕的钱都不能放心地花，这就是失业带来的影响。即使国内整体的物质财富大有进步，街上仍然有满街的失业人口，这根本称不上是富国。

政府第三个关心的目标是物价稳定。就算国内整体的年糕和汽车产量都有增加的趋势，若物价急剧波动，那并不是安定的国家。当然，收入高的人，物价波动对他们的影响不大，但是对于月薪族来说，物价上升☆和掉入地狱可划上等号。对于靠月薪过日子的大部分韩国家庭而言，物价上升等于是薪水缩减。以前的1 000块薪水只要其中的100块，就可以去买10碗辣年糕，然而受物价上升的影响，一碗年糕要价1 000块，这时候只能吃一碗就没钱了。薪水同样是1 000块，却由于物价上升，反而比以前贫穷了。从经济学立场来看，物价的上升使得月薪族沦落贫穷，所以也就成了遭人白眼的全民公敌。

# 政府政策的大支柱——总需求及总供给管理政策

为了促成富国境界，政府展开了无数的政策。那么多个政策，若按照它们的出生与成分，可以归纳为"总需求管理政策"以及"总供给管理政策"。总需求管理政策，是指把构成总需求的消费需求、投资需求、政府需求、外销需求等尽其所能地管理，实践国家富有的政治。

简单地说，假设国内总生产力是500块，但由于总需求不足，则物质财富只生产了400块的量。这时候政府则会推进总需求管理政策以增加产量，使产量达500块的量。总需求管理政策中，最具代表性的是财政政策以及金融政策。这两者的个人秀，稍后可以在特别舞台上再仔细瞧瞧。

所谓总供给管理政策，则是把影响供给三剑客——劳动力、资本、技术进步的主要因素尽可能加以管理，让物质财富的生产力长期向上的政策。

总需求管理政策可看出短期成果，而总供给管理政策，其痛处就在于它无法在短期间见到效果。例如现在开始推行总需求管理政策，扩大发行信用卡，凭借增加消费需求、降低利率，可以使投资需求增加，然后将各种外销支持制度加以活化，就可期待外销的增加。当然，并不会因为政府展开了影响总需求的政策，隔一个月就有效果，可是也不见得一定要花费很长的时间才看得到。

按照总供给管理政策的程序，如果政府想见到自己的努力发生效果，说不定得等上个数十年、甚至数百年。假设政府为确保劳动力，决定推行提高生育计划。为了提倡出生率，政策采取每一名新生儿补助2 000万（韩币）、每月教育费100万（韩币）的革命性政策，或许出生率会立即上升，但若是以劳动力的层面做衡量，最少得等20年。

研发机器人V方面，应该也大同小异。只要机器人V出动，光是它的无敌金钢拳便足以替代数百、数千辆推土机，不过，光是开发它进而到制造出来，也许得等上20年都不止。想要目睹伟大的科学发展实际活用于生活，以商业技术的面貌全面在历史的扉页登场，也许更有可能是在数百年之后。

基于以上理由，经济学对于总需求管理政策比对总供给管理政策投以较多关心与专注，而政府对此所付出的努力也非常积极。

## ☆Stagflation

停滞性通货膨胀，景气停滞的状态中物价上升的现象。一般来说，一旦景气变差，人们就会收紧荷包，需求随之减少，于是商品滞销、价格下跌。但是假如油价暴增，即使是景气停滞，物价也可能上升。20世纪70年代由于产油国提高油价，造成世界性的Stagflation。当然，当时不只油价上升，并且由于世界各国过度介入经济，引起货币过量因而使得物价上升。

# 管理政府的家当

## 管理政府收支账的财政政策

政府的生活家当叫"财政"。而政府的家当可分为"税入"与"税出"两大类，也就是税金☆☆。税入是指政府赚进口袋里的钱，有租税收入、税外收入以及资本收入。

租税是由各种税金赚得的收入，增值税、所得税、法人税、遗产税、赠与税等这些无止尽的税金，让政府的粮仓饱足；税外收入则是税金以外的收入，各种手续费即属此范畴。此外，资本收入是政府出售本身的土地或房子所赚得的钱。

好了，聊过收入之后，再来谈谈政府的支出吧！政府支出的钱可分为"政府支出"与"转移支出"两大类。政府支出是指为了国家的发展，主要支付在铺路、建设水坝等工程所花的费用。

当然，付给为国家努力工作的公务员先生、小姐的薪资，也包含在政府的支出项目里。而转移支出则是指免费发给社会上弱势群体所支付的钱，好比说发给独居老人的生活费也是属于转移支出项目。

财政政策，诚如前面已经提过的税入和税出，换句话说，是一种替政府好好管理收入和支出，促进国家发展的政策。

## 调整政府花钱习惯的"扩张性财政"
## 与"紧缩性财政政策"

如果韩国有500块的生产能力，却因为总需求量的不足，只生产了400块，那么必须增加物质财富，达到500块的生产力。为了这样的目标，于是政府展开了增加构成总需求的消费需求、投资需求、外销需求的各种政策。如果政府的撒娇、装可爱，都无法使消费、投资和外销增加，那么韩国的物质财富就会停顿在400块的生产力。

这个时候，如果加上政府的花费，那就能达到500块的生产力了。也就是说，政府来消化其余100块的部分。

政府可以多买些新的复印纸、再多铺些新的道路，就会增加A4用纸的需求量、或增加水泥的需求量，这些全部合起来韩国的总需求量就有500块。如此当总需求不足造成经济衰退，这时候政府就像一阵旋风出面拯救祖国的政策，称为"扩张性财政政策"。

这次我们换个方向思考，假设韩国的生产能力是500块，总需求有600块。也就是说，辣年糕的产量只有500碗，可是涌进了需求600碗的人群。若是随着需求，生产量也能增加的话倒还好，但是生产量不可能在短期间一下子就能突飞猛进。当年糕的产量少于需求量，这时候，年糕的价

扩张性财政政策　　　紧缩性财政政策

格就会上升。

但是，物价的上升是使市民的口袋变贫穷的罪犯，所以必须早一步缩减总需求，稳定物价。而政府一心也想表现表现，兴奋地开始减少花费，于是就压迫公务员先生、小姐，一碗辣年糕一定要10个人一起吃。用这样的方法减少政府的支出，总需求也就自然紧缩，随着总需求紧缩，物价就会开始下跌。

除了减少政府支出，就算用力征税，消费需求依然会减少，市民缩水的物价也就会慢慢地稳定下来了。就像这样，为国家的安定减少政府支出的政策，称为紧缩性财政政策。

## 20块变100块的倍数效果

明明有能力生产500块的量，却只生产了400块，而这代表着失业人数的忧患。这样的情况下，政府必须挺身消灭失业状态，政府必须增加支出来创造韩国整体的物质财富达到500块。

在前面章节为了说明上的方便，说只要由政府支出100块就行了，事实上这100块也可以不用花。刹那间，会觉得政府只需要买100块的A4用纸就解决问题了，不过根本没必要支出这100块。即便只买20块的A4用纸，总需求已经达500块了。怎么可能？

假设政府买了20块的A4用纸，这么一来，企业的产量会开始增加，韩国整体物质财富就会从20块增加到420块。这表示韩国的国民收入增加了20块。收入增加之后，一部分拿去储蓄，其余18块再去消费。也就是说，总需求是420块＋18块＝438块了。消费增加了18块，然后产量增加，那么韩国的物质财富就有438块了。

如此,政府支出的效果永远都没完没了。18块的所得当中存3.6块,其余14.4块再去消费。这么一来,总需求是420块+18块+14.4块=452.4块,韩国的物质财富就是452.4块了。

照这样的情形持续下去的话,结论就是,政府只要支出20块,就能创造将100块膨胀的效果了。把这情形用专业术语来形容,就称为"倍数效果"。关于当政府的支出增加20块的时候,总需求可能增加多少这一答案,就用前面提过的边际消费倾向(指当收入增加时,其消费增加的程度)来加以决定。

求倍数答案的公式如下:

$$倍数 = \frac{1}{(1-b)} \text{, } b = 边际消费倾向$$

万一收入当中消费80%,那么其边际消费倾向是0.8。将这个边际消费倾向0.8代入前面的公式,则可以得出倍数是5,意即政府支出20块,就能增加100块的5倍物质财富。

如果所有人都能确实预测边际消费倾向,那么世界各国的政府也就不用再为总需求不足而苦恼了。因为只要按照总需求的多寡,以数学公式正确计算之后增加政府支出就行了。

话虽如此,总需求绝对不会完全符合公式得出来的数值。因为过程当中可能会碰到难关,而且边际消费倾向也并非永远固定都是0.8。

为了正确预测边际消费倾向，韩国的经济学者们此时此刻仍在计算机前努力苦思。

☆☆税金

税金分为国税和地方税两大类。

国税：交给国家的税。也是身为骄傲的韩国儿女所缴纳的税。国税中具代表性的有企业所得税、法人税、遗产税、增值税等。国税是交付国家的税金，故由国税处或税务所担当业务。

地方税：身为骄傲的乡巴佬，带着感谢老天恩泽的心情交给乡政府或区政府的税金。当然如果不是乡巴佬，交给区政府或市政府就可以了。地方税当中具代表性的有个人所得税、使用税、资源税、汽车税等。

# 调节货币量的扩张性金融与紧缩性金融政策

金融政策，是指调节流通在市面上的货币量，以安定国家的政策。举例来说，假设经济情况很糟，这时候韩国银行（央行）会大量印制货币。**一旦市面上流通着充足的钱，人民就可以轻易进行金钱交易。经由畅通的交流，利率自然就会下降。利率降低，消费者则会忽视储蓄，努力采购，而企业也就开始进行先前耽搁的投资。**于是总需求增加了，总需求量的增加带来产量的增加；也就是指韩国的物质财富开始增加了。如此为稳定国家而大量印制货币的举动，称为"扩张性金融政策"。

假使总需求超过总产量，形成物价上升，那么，政府则会展开相反的政策。

政府会重新回收先前仁慈散播的钱。市面上的货币量若开始紧缩，彼此之间就难以交流金钱，利率就会跟着上升。随着利率的高升，人们不再忙着消费转而往银行移动脚步。见到攀升的利率，人们会开始关注于储蓄，企业也会因负担

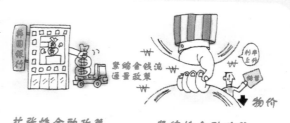

扩张性金融政策　　　　紧缩性金融政策

高利率而缩减投资。总需求减少，物价就会重新下跌。如此，为稳定物价、稳定经济而减少金钱流通量，称为"紧缩性金融政策"。

# 政府采取的金融政策手段

### ① 通过国债，操作公开市场

公开市场操作，是指政府以买卖国债的方式，调节市面上流通货币量的政策。假设由于总需求量的缺乏，造成景气衰退，这时候政府会收购民间银行所持有的国债。买进1 000块钱国债，那么韩国银行的金库里就多一张1 000块钱的国债，但是1 000块钱现金就会流通到市面。随着1 000块钱流通到市面，市面上的资金情况就会定期性改善，利率也会下降。利率下降了总需求就会增加；而由于总需求量的增加，韩国的物质财富也会跟着增加。

接着，假设总需求量超越了总供给量。像这样的情况，有必要收回货币。政府改以贩卖国债，接着市面上的货币就会开始堆栈到韩国银行的金库。如果韩国银行金库里头的钱增加，则市面上的货币量就会形成枯竭状态。一旦市面上的资金呈现不足的现象，人们就会互相借贷货币，自然而然，利率会跟着上升。上升的利率还造成消费减少，企业的投资缩减，结果总需求量就会跟着减少了。

像这样以国债买卖加以调节货币流通量的政策，称为"公开市场操作政策"。这并不是在阴暗的巷道间或是在高级个人俱乐部一隅进行的交易，而是公开在世人眼前，完成交易的行为，所以才会被赋予"公开市场操作"这样的名目。

### ② 运用民间银行的储蓄准备率政策

我们存到银行里的钱，银行并不是全数借给别人，而是留下一部分。因为银行若是将所有的资金全部都借贷出去，很可能会导致许多的问题。

假设银行把所有的存款全部转作贷款支付掉了，金库里连10块钱都不剩，正当这时候小东为准备旅费来到银行，如果小东知道银行的金库里没有半毛钱，那么他一定会感到很错愕。

为预防这种事端，政府会苦口婆心要银行就算天塌下来也得把一定金额供奉在金库里，而这笔钱称为"储蓄准备金"。储蓄准备金在存款中所占的比例则称为"储蓄准备率"。好比说，储蓄准备率有10%，那么100块当中一定要把10块钱供奉在银行金库。

再来，这次我们假设由于总需求不足造成经济衰退。拯救经济的方法，就是释放货币。为了释放货币，政府将储蓄准备率由10%降为1%。这一回，银行只需要留1块钱供在金库里就可以了，其余的99块就用在贷款支付。把99块都用来支付贷款的话，市面上资金情况就能定期性改善，一旦资金情况改善之后利率也就会下跌。这样，消费需求和投资需求也就跟着增加，韩国的经济就能重新找回活力。

如果总需求量超越总供给量，那么政府就会推行相反的政策。这一次，为了减少总需求量，必须紧缩货币流通量。为了紧缩货币量这件事，于是政府向各地银行发了公文。

**"从市民储蓄的100块当中，请务必将其中的10块钱供在金库里，以作为储蓄准备金。"**

收到政府的公文，各地银行开始一切照办。照上述公文内容，政府把储蓄准备率从1%调高到10%的话，能够作为贷款用途的货币就会减少。这一来市面上的资金情况就会衰退，利率也会再度跳高。随利率的涨幅，消费需求以及投资需求都会缩减，总需求也会按照政府的期望缩水。

### 3 运用期票的"银行重贴现率"

店里的熟客人偶尔会赊账，当然，现金交易是基本规定；不过等到大家都熟了，多少建立了些信用，赊账就会变成无法避免的事实。企业之间，也同样有赊账的情况。

企业之间的赊账称为"期票"☆☆☆，是种具有特殊身份的纸张。举例来说，把价值1 000块钱的无敌铁金钢V卖给了三星电子研究开发团队。而三星电子当场给付的不是现金，而是这张叫做"期票"的特殊纸张。

"我向你用1 000块钱买了一台无敌铁金钢V。我打算一个月后付你这笔钱，请你在1个月之后，拿这张纸到与我往来的银行，把它拿给行员看，他会付钱给你。"

具有这种意义的纸张就是"期票"。1个月后，照期票上的约定，到银行就可以领到1 000块钱了。

### ☆☆☆商业期票VS.融通期票VS.企业期票CP

**商业期票**：实际进行商业交易时，以赊帐购买物品所支付的期票。又称"代物期票"或"真性期票"。

**融通期票**：并非实际购买商品，而是交情良好的企业间当做买卖而发行的期票。持有融通期票的企业，可以向银行支领期票折价之后的金额。

**企业期票CP**：信用良好的企业，为筹措资金所发行的期票。是属于融通期票的一种。

可是，有些时候可能会碰到到期之前有急用的情况。虽然恨不得跑到三星电子研究团队去商量商量，但是基于社会上的地位和面子问题有些迟疑，何况这并不算是好方法。

遇到这种情况，有个办法可以一解燃眉之急。那个方法就是，赶快到银行请他们以900块买下你的这张1 000块期票。虽然损失了100块，但为了救急只好忍痛了。然后，以银行的立场来说，坐在家里头平白无故赚到100块，何乐而不为呀！所以就会欣然买下这张期票。像这种将期票削价转卖的方式称为"转贷"，而削掉的10％就叫"重贴现率"。

那么，"重贴现率"又是什么意思？"重贴现率"一词是由韩国银行向民间银行买下期票时所使用的名称。简单地说，当K银行急需资金而拿着等值1 000块的期票到韩国银行时，韩国银行以重贴现率5％买下那张期票，这时候，当K银行卖掉1 000块期票时，换得的是950块钱现金。如果重贴现率是1％，那么K银行就能拿到990块钱。

调整重贴现率加以安定经济的原理很简单。万一总需求不足造成经济衰退，那么韩国银行将5％的重贴现率调降为1％，再予以买进期票。以前卖1 000块的期票，只能拿到950块钱，这一回可以换到990块。随着重贴现率的调降，K银行的资金情况就会好转。

由于重贴现率适用于市面上所有的银行，于是资金情况得以改善，资金情况的好转能够让利率下跌。利率下跌了，则消费需求与总需求就能增加，韩国的物质财富也就能跟着总产量增长。

若总需求超过总供给量时，可以藉由提高重贴现率紧缩货币的供给。意即将重贴现率从1％调涨为5％，则市面上的资金情况就会恶化，利率会上升。随利率的上升，总需求量就会减少。

# 11 在小吃店遇见有钱人的故事

 别跟政策过不去

　　想致富，就得彻底和政府的政策妥协。和政府政策对立，绝对不可能变成有钱人。明明知道是违法的举动，可是仍然追着公务员跟在后头、一天三餐问安的人，至今都还没有减少过，而这其中的理由就是因为他们认同政府的政策。因为只要捞到政府政策中有利用价值的信息，加以善加运用，很可能就可以一次得到过去流血流汗拼命努力的代价。

　　尤其在不动产方面，政府政策拥有强壮的力度。听到政府说要防止投机行为，这个时候应该就要乖乖地别买地，也不要买房子。如果政府决定振兴江南，你最好也跟到江南去，如果振兴江北，你也快马加鞭到江北。除了不动产市场，股票市场也不会例外。假如敢和政府政策过不去，绝对没有机会当有钱人。一定要跟着政府走才行！

　　政府为了克服经济危机，推选风险企业为救世主，更公开宣布将通过风险企业的促成，加以解决失业问题。一时之间，"风险企业才是惟一生路"的口号充塞了大街小巷。岁月流转，股票市场变得如何了？风险企业占领了股票市场。以互联网相关的股票为中心，各种风险企业的股票跳高数十、数百倍，没事就放个"屁"，扰乱视听的股票，更是暴涨数百倍。

　　懂得解读政府思考路线而早早投资风险企业股票的投资者，这个时候都成了暴发户。当然当时的网络股并不完全是因为政府政策而膨胀的，但是若没有政府在背后守着推波助澜一番，可能也不会有那么华丽的庆功宴了。

　　相信大家现在都能理解"想致富，就得解读政府政策"的道理了。解读政府政策，其实没有什么独门绝招，只有努力关心一途。没事多看看财经杂志，用心听听政府官员的词意，仔细阅读有关经济政策与相关的书籍。若没有这么充裕的时间看书、看报，那就关心一下网络上有关政府的经济政策方面的信息。至于有关不动产政策和股票市场的政策，我就不再多说了。

图书在版编目（CIP）数据

在小吃店遇见凯恩斯 / [韩] 柳泰宪著；徐若英译. –北京：中信出版社，2005.12
书名原文：Funny economics for ordinary people
ISBN 7-5086-0504-7

Ⅰ. 在…　Ⅱ. ① 柳…　② 徐…　Ⅲ. 经济学–普及读物　Ⅳ. F0-49

中国版本图书馆CIP数据核字（2005）第130807号

## 在小吃店遇见凯恩斯
### ZAI XIAOCHIDIAN YUJIAN KAIENSI

著　　者：[韩] 柳泰宪
译　　者：徐若英
责任编辑：黄　犀
出 版 者：中信出版社（北京市朝阳区东外大街亮马河南路14号塔园外交办公大楼　邮编　100600）
经 销 者：中信联合发行有限责任公司
承 印 者：中国电影出版社印刷厂
开　　本：787mm×1092mm　1/16　　印　张：14　　字　数：123千字
版　　次：2006年1月第1版　　　　　　印　次：2006年2月第2次印刷
京权图字：01-2005-6147
书　　号：ISBN 7-5086-0504-7/F · 948
定　　价：29.80 元